ANNIE COLLOGNAT-BARÈS

Annie Collognat-Barès, ancienne élève de l'École normale supérieure, agrégée de lettres classiques, professeur de latin et de grec en Lettres supérieures au lycée Victor-Hugo à Paris, est auteur de nombreux ouvrages et guides qui commentent les grands classiques de la littérature. Elle a publié chez Pocket un recueil d'extraits choisis dans l'œuvre de Laclos : *Amour, liaisons et libertinage* (2008), ainsi que *Des troubadours à Apollinaire – Une anthologie poétique* (2009).

D0715166

DES TROUBADOURS À APOLLINAIRE

Petite anthologie poétique

DES TROUBADOURS
À
APOLLINAIRE

Petite anthologie poétique

Choix de textes et présentation
Annie Collognat-Barès

Guillaume Apollinaire, « la colombe poignardée et le jet d'eau » in *Calligrammes* © Éditions Gallimard.
© 2009, Pocket, un département d'Univers Poche.

ISBN : 978-2-266-19227-9

AVANT-PROPOS

Demander à un poète à quoi sert la poésie, c'est comme demander à un oiseau à quoi sert de chanter. On sait que l'artiste est tout entier dans sa création sans avoir besoin de la justifier. Pourtant, les réponses ne manquent pas, toutes plus « poétiques » les unes que les autres.

Écoutons trois d'entre elles : elles suffisent à donner le ton.

« Le poète en des jours impies
Vient préparer des jours meilleurs.
Il est l'homme des utopies,
Les pieds ici, les yeux ailleurs.
C'est lui qui sur toutes les têtes,
En tout temps, pareil aux prophètes,
Dans sa main, où tout peut tenir,
Doit, qu'on l'insulte ou qu'on le loue,
Comme une torche qu'il secoue,
Faire flamboyer l'avenir !…
Peuples ! écoutez le poète
Écoutez le rêveur sacré !
Dans votre nuit, sans lui complète,
Lui seul a le front éclairé. » [1]

---

1. Victor Hugo (1802 – 1885), *Les Rayons et les Ombres,* « Fonction du poète », 1840.

« Le poète se fait voyant par un long, immense et
raisonné dérèglement de tous les sens. Toutes les
formes d'amour, de souffrance, de folie ; il cherche lui-
même, il épuise en lui tous les poisons, pour n'en garder que les quintessences [...] Le poète est vraiment
voleur de feu. » [1]

« Le poète, vois-tu, est comme un ver de terre,
Il laboure les mots, qui sont comme un grand champ
Où les hommes récoltent les denrées langagières ;

Mais la terre s'épuise à l'effort incessant !
Sans le poète lombric et l'air qu'il lui apporte
Le monde étoufferait sous les paroles mortes. » [2]

Assurément, le lecteur est convaincu : en « pillo-
tant » les pages d'une anthologie poétique, pour
reprendre la charmante expression de Montaigne dans
ses *Essais*, il butine et fait sa provision de miel. Il
entend « le rêveur sacré », il se réchauffe à la flamme
du « voleur de feu », il respire grâce au « poète lombric ».

Il écoute les mots d'amour (toujours !) et d'humour
(souvent noir). Il ressent la joie et la tristesse, l'espoir
et l'angoisse, la mélancolie et le deuil. Il prend le temps
de savourer de mystérieuses correspondances, mais
aussi d'amusantes résonances : tiens ! ce Paris qui
s'éveille à cinq heures du matin [3]... ce n'est pas une
récente chanson à succès ?...

Il voit se dessiner une « dive bouteille » bien remplie [4],

---

1. Arthur Rimbaud (1854-1891), Seconde « lettre du Voyant » à
Paul Demeny, 15 mai 1871.
2. Jacques Roubaud (né en 1932), *Le lombric* (*Conseils à un jeune
poète de douze ans*).
3. Désaugiers, p. 80. Voir la chanson de Jacques Dutronc, « Il est
cinq heures, Paris s'éveille ».
4. Rabelais, p. 37.

un rideau qui s'envole à la fenêtre d'une voisine [1], une procession de fourmis [2], ou encore un jet d'eau qui pleure les amis disparus [3]...

Et puis, pourquoi pas ? il peut aussi s'essayer lui-même à la cuisine poétique : les recettes ne manquent pas... ici comment faire un sonnet [4], là un rondeau [5] ou une villanelle [6]. Pair ou impair ? c'est la question, mais « de la musique avant toute chose » [7] !

Une anthologie, ce n'est qu'un bouquet, comme le dit si bien son étymologie [8] : elle doit éveiller les sens en mélangeant les parfums. Elle donne accès à l'infinie variété des couleurs, des motifs et des formes [9]. Elle permet de découvrir et de redécouvrir : elle ne peut pas offrir toutes les fleurs du jardin, mais elle ouvre des portes pour y entrer. Soixante-huit auteurs, plus de deux cent trente textes : à vous de choisir vos clés !...

À Jean-Baptiste, Nathalie et Benjamin

---

1. Musset, p. 126.
2. Jules Renard, p. 216.
3. Apollinaire, p. 239.
4. Corbière, p. 188.
5. Voiture, p. 59.
6. Boulmier, p. 149.
7. Verlaine, p. 185.
8. *Anthos* désigne la fleur en grec et le verbe *legein*, l'action de cueillir et de rassembler.
9. Voir l'index des formes commentées p. 281.

Bernart de Ventadorn / Bernard de Ventadour
(1125 ? – 1200 ?)

Tant ai mo cor ple de joya...
Tant j'ai le cœur plein de joie...

Tant ai mo cor ple de joya,
Tot me desnatura.
Flor blancha, vermelh' e groya
Me par la frejura,
C'ab lo ven et ab la ploya
Me creis l'aventura,
Per que mos chans mont' e poya
E mos pretz melhura.
Tan ai al cor d'amor,
De joi e de doussor,
Per que-l gels me sembla flor
E la neus verdura.

Tant j'ai le cœur plein de joie
Que tout change pour moi dans la nature.
Fleur blanche, vermeille et jaune
Voilà pour moi la froidure,
Avec le vent et avec la pluie
Augmente ma chance.
Aussi mon chant monte et s'élève
Et mon prix devient plus grand.
Tant j'ai d'amour au cœur
De joie et de douceur

Que le gel me semble fleur
Et la neige verdure.

> *Canso* / Chanson 4, première strophe
> *(occitan, adaptation en français A.C.)*

> *Lo tems vai e ven e vire...*
> Le temps s'en va, s'en vient et tourne...

*Lo tems vai e ven e vire
Per jorns, per mes e per ans,
Et eu, las no-n sai que dire,
C'ades es us mos talans.
Ades es us e no-s muda,
C'una-n volh e-n ai volguda,
Don anc non aic jauzimen.*

Le temps s'en va, s'en vient et tourne
Tout au long des jours, des mois et des ans
Et moi hélas ! je ne sais que dire :
Chaque fois pour moi c'est un unique désir,
Toujours un seul et il n'y a pas de changement :
De dame, je ne veux qu'une et n'ai voulu qu'une
Dont je n'ai jamais nulle joie.

> *Canso* / Chanson 44, première strophe
> *(occitan, adaptation en français A.C.)*

Chanson de toile
(Anonyme, XIIe siècle)

Le samedi soir finit la semaine...

Le samedi soir finit la semaine :
Gayette et Oriour, qui sont sœurs germaines,
la main dans la main vont se baigner à la fontaine.
Souffle la brise,
S'agite la ramée,
Doux sommeil à ceux qui s'entr'aiment !

Le jeune Gérard revient d'Aquitaine ;
Il aperçoit Gayette auprès de la fontaine :
Entre ses bras la prend et l'étreint doucement.
Souffle la brise,
S'agite la ramée,
Doux sommeil à ceux qui s'entr'aiment !

— Oriour, quand tu auras puisé de l'eau,
Repars pour la ville, tu connais le chemin ;
Je resterai ici avec Gérard qui me chérit.
Souffle la brise,
S'agite la ramée,
Doux sommeil à ceux qui s'entr'aiment !

Oriour s'en va, pâle et affligée,
Les yeux en larmes et le cœur soupirant,
Car elle n'emmène pas sa sœur Gaye.
Souffle la brise,
S'agite la ramée,
Doux sommeil à ceux qui s'entr'aiment !

— Las ! dit Oriour, je suis née sous une mauvaise étoile !
J'ai laissé ma sœur germaine au creux de la vallée :
Le jeune Gérard l'emmène dans sa contrée !
Souffle la brise,
S'agite la ramée,
Doux sommeil à ceux qui s'entr'aiment !

Le jeune Gérard et Gaye ont pris de leur côté,
Ils s'en sont allés droit vers la cité.
Dès leur arrivée il l'a épousée.
Souffle la brise,
S'agite la ramée,
Doux sommeil à ceux qui s'entr'aiment !

(Version modernisée)

Marie de France
(1130 ? – 1180 ?)

Le lai du Chèvrefeuille

J'ai bien envie de vous raconter
la véritable histoire
du lai qu'on appelle *Le Chèvrefeuille*
et de vous dire comment il fut composé et quelle fut
[son origine.

On m'a souvent relaté
l'histoire de Tristan et de la reine,
et je l'ai aussi trouvée dans un livre,
l'histoire de leur amour si parfait,
qui leur valut tant de souffrances
puis les fit mourir le même jour.

Le roi Marc, furieux
contre son neveu Tristan,
l'avait chassé de sa cour
à cause de son amour pour la reine.
Tristan a regagné son pays natal,
le sud du pays de Galles,
pour y demeurer une année entière
sans pouvoir revenir.
Il s'est pourtant ensuite exposé sans hésiter
au tourment et à la mort.
N'en soyez pas surpris :
l'amant loyal
est triste et affligé
loin de l'objet de son désir.
Tristan, désespéré,

a donc quitté son pays
pour aller tout droit en Cornouaille,
là où vit la reine.
Il se réfugie, seul, dans la forêt,
pour ne pas être vu.
Il en sort le soir
pour chercher un abri
et se fait héberger pour la nuit
chez des paysans, de pauvres gens.
Il leur demande
des nouvelles du roi
et ils répondent
que les barons, dit-on,
sont convoqués à Tintagel.
Ils y seront tous pour la Pentecôte
car le roi veut y célébrer une fête :
il y aura de grandes réjouissances
et la reine accompagnera le roi.

Cette nouvelle remplit Tristan de joie :
elle ne pourra pas se rendre à Tintagel
sans qu'il la voie passer !
Le jour du départ du roi,
il revient dans la forêt,
sur le chemin que le cortège
doit emprunter, il le sait.
Il coupe par le milieu une baguette de noisetier
qu'il taille pour l'équarrir.
Sur le bâton ainsi préparé,
il grave son nom avec son couteau.
La reine est très attentive à ce genre de signal :
si elle aperçoit le bâton,
elle y reconnaîtra bien
aussitôt un message de son ami.
Elle l'a déjà reconnu,
un jour, de cette manière.
Ce que disait le message
écrit par Tristan,

c'était qu'il attendait
depuis longtemps dans la forêt
à épier et à guetter
le moyen de la voir
car il ne pouvait pas vivre sans elle.
Ils étaient tous deux
comme le chèvrefeuille
qui s'enroule autour du noisetier :
quand il s'y est enlacé
et qu'il entoure la tige,
ils peuvent ainsi continuer à vivre longtemps.
Mais si l'on veut ensuite les séparer,
le noisetier a tôt fait de mourir,
tout comme le chèvrefeuille.
« Belle amie, ainsi en est-il de nous :
ni vous sans moi, ni moi sans vous ! »
La reine s'avance à cheval,
regardant devant elle.
Elle aperçoit le bâton
et en reconnaît toutes les lettres.
Elle donne l'ordre de s'arrêter
aux chevaliers de son escorte,
qui font route avec elle :
elle veut descendre de cheval et se reposer.
On lui obéit
et elle s'éloigne de sa suite,
appelant près d'elle
Brangien, sa loyale suivante.
S'écartant un peu du chemin,
elle découvre dans la forêt
l'être qu'elle aime le plus au monde.
Ils ont enfin la joie de se retrouver !
Il peut lui parler à son aise
et elle, lui dire tout ce qu'elle veut.
Puis elle lui explique
comment se réconcilier avec le roi :
elle a bien souffert
de le voir ainsi congédié,

mais c'est qu'on l'avait accusé auprès du roi.
Puis il lui faut partir, laisser son ami :
au moment de se séparer,
ils se mettent à pleurer.

Tristan regagne le pays de Galles
en attendant d'être rappelé par son oncle.
Pour la joie qu'il avait eue
de retrouver son amie,
et pour préserver le souvenir du message qu'il avait
                                                    [écrit
et des paroles échangées,
Tristan, qui était bon joueur de harpe,
composa, à la demande de la reine,
un nouveau lai.
D'un seul mot je vous le nommerai :
les Anglais l'appellent *Goatleaf*
et les Français *Chèvrefeuille.*
Vous venez d'entendre la véritable histoire
du lai que je vous ai raconté.

(Version modernisée)

Jean de Brienne
(1170 ? – 1237)

Pastourelle

Sous l'ombre d'un bois
trouvai pastoure à mon goût ;
contre l'hiver était bien protégée
la fillette aux blonds cheveux.
La voyant sans compagnie,
je laisse mon chemin et vais vers elle. Aé !

La fille n'avait compagnon,
hormis son chien et son bâton.
À cause du froid, serrée dans sa cape,
elle était blottie contre un buisson.
Aux accents de sa flûte
elle évoque Garinet et Robichon. Aé !

Quand je la vis, aussitôt je me dirige vers elle,
mettant pied à terre, et lui dis :
« Pastourelle, mon amie,
de bon cœur je me rends à vous :
faisons tonnelle de feuillage,
gentiment nous nous aimerons. » Aé !
« Seigneur, ôtez-vous de là !
ce langage je l'ai déjà entendu.
Je ne suis pas à la disposition
de quiconque me dit : Viens çà !
Vous avez beau avoir selle dorée,
jamais Garinet n'y perdra. » Aé !

« Pastourelle, si tu veux bien,
tu seras dame d'un château.
Ôte ta pauvre chape grise,
mets ce manteau de vair ;
ainsi tu ressembleras à la fraîche rose
qui vient de s'épanouir. » Aé !

« Seigneur, voilà un grand engagement ;
mais bien folle celle
qui accepte ainsi d'un inconnu,
manteau de vair ou parure,
si elle ne cède à sa prière
et ne consent à ses vœux. » Aé !

« Pastourelle, sur ma foi,
je te trouve si belle que
je ferai de toi, si tu veux,
dame parée, noble et fière.
Laisse l'amour des rustauds,
et te remets toute à moi. » Aé !

« Seigneur, paix !
Je vous en prie ; je n'ai pas le cœur si vil :
j'aime mieux humble bonheur
sous la feuillée avec mon ami
que d'être dame dans une chambre lambrissée
pour que chacun me méprise. » Aé !

(Version modernisée)

Rutebeuf
(1230 ? – 1285 ?)

Que sont mes amis devenus ?

Complainte

Li mal ne sevent seul venir :
Tout ce m'estoit a avenir
  S'est avenu.
Que sont mi ami devenu
Que j'avoie si près tenu
  Et tant amé ?
Je cuit qu'il sont trop cler semé :
Il ne furent pas bien femé
  Si sont failli.
Itel ami m'ont mal bailli,
C'onques, tant com Diex m'assailli
  En maint costé,
N'en vi un seul en mon osté :
Je cuit li vens les m'a osté.
  L'amor est morte :
Ce sont ami que vens enporte,
Et il ventoit devant ma porte
  Ses emporta,
C'onques nus ne m'en conforta
Ne du sien riens ne m'aporta.

Les maux ne savent seuls venir :
Tout ce qui devait m'arriver
  Ainsi est arrivé.

Que sont mes amis devenus
Que j'avais de si près tenus
        Et tant aimés ?
Je crois qu'ils sont trop clairsemés :
Ils ne furent pas bien entretenus
        Ainsi ont-ils fait défaut.
De tels amis m'ont mal traité,
Car jamais, tant que Dieu me mit à l'épreuve
        Par bien des côtés,
Je n'en vis un seul en mon logis,
Je crois que le vent me les a ôtés.
        L'amitié est morte :
Ce sont amis que vent emporte,
Et il ventait devant ma porte
        Ainsi il les emporta,
Car jamais aucun ne me réconforta
Ni de son bien ne m'apporta rien.

Complainte Rutebeuf, vers 107 – 126
(orthographe originale et version modernisée)

Adam de la Halle
(1240 ? – 1288 ?)

Rondeaux polyphoniques

Tant que je vivrai…

Tant que je vivrai
Je n'aimerai que vous.
Sans me détacher,
Tant que je vivrai
Je serai votre serviteur.
Je m'y suis engagé tout entier.
Tant que je vivrai,
Je n'aimerai que vous.

Le doux regard de ma dame…

Le doux regard de ma Dame
Me fait espérer sa pitié ;
Dieu la protège de tout blâme.
Le doux regard de ma Dame.
Jamais je ne vis, sur mon âme,
Dame plus charmeuse.
Le doux regard de ma Dame
Me fait espérer sa pitié.

(orthographe modernisée)

Guillaume de Machaut
(1300 ? – 1377)

Je maudis l'heure et le temps et le jour…

Ballade

Je maudis l'heure et le temps et le jour,
La semaine, le lieu, le mois, l'année
Et les deux yeux dont je vis la douceur
De ma dame, qui ma joie a finée.
Et si maudis mon cœur et ma pensée,
Ma loyauté, mon désir et m'amour
Et le danger qui fait languir en pleur
Mon dolent cœur en étrange contrée.

Et si maudis l'accueil, l'attrait, l'atour
Et le regard dont l'amour engendrée
Fut en mon cœur, qui le tient en ardeur,
Et si maudis l'heure qu'elle fut née,
Son faux-semblant, sa fausseté prouvée,
Son grand orgueil, sa durté où tendreur
N'a ni pitié, qui tient en tel langueur
Mon dolent cœur en étrange contrée.
Et si maudis Fortune et son faux tour,
La planète, l'heur, la destinée
Qui mon fol cœur mirent en telle erreur
Qu'oncques de moi fut servie n'aimée.
Mais je prie Dieu qu'il gard sa renommée

Son bien, sa paix, et lui accroisse honneur,
Et lui pardonn' ce qu'occit à douleur
Mon dolent cœur en étrange contrée.

(orthographe modernisée)

Othon de Grandson
(1330 – 1395)

S'il ne vous plaît que j'aille mieux…

Rondeau

S'il ne vous plaît que j'aille mieux,
Je prendrai en gré ma détresse.
Par Dieu, ma plaisant maîtresse,
J'aimerais mieux être joyeux.

De vous suis si fort amoureux
Que mon cœur de crier ne cesse.
S'il ne vous plaît que j'aille mieux,
Je prendrai en gré ma détresse.

Belle, tournez vers moi vos yeux,
Et voyez en quelle tristesse
J'use mon temps et ma jeunesse
Et puis faites de moi vos jeux.

S'il ne vous plaît que j'aille mieux,
Je prendrai en gré ma détresse.
Par Dieu, ma plaisant maîtresse,
J'aimerais mieux être joyeux.

(orthographe modernisée)

Jean Froissart
(1337 ? – 1410 ?)

On doit le temps ainsi prendre qu'il vient…

Rondeau

On doit le temps ainsi prendre qu'il vient,
Tout dit que pas ne dure la fortune.
Un temps se part, et puis l'autre revient.
On doit le temps ainsi prendre qu'il vient.

Je me conforte à ce qu'il me souvient
Que tous les mois avons nouvelle lune.
On doit le temps ainsi prendre qu'il vient,
Tout dit que pas ne dure la fortune.

(orthographe modernisée)

Christine de Pisan
(1364 ? – 1431)

Je ne sais comment je dure...

Rondeau

Je ne sais comment je dure,
Car mon dolent cœur fond d'ire
Et plaindre n'ose, ni dire
Ma douleureuse aventure,

Ma dolente vie obscure,
Rien, hors la mort ne désire ;
Je ne sais comment je dure.

Et me faut, par couverture,
Chanter que mon cœur soupire
Et faire semblant de rire ;
Mais Dieu sait ce que j'endure.
Je ne sais comment je dure.

(orthographe modernisée)

De triste cœur chanter joyeusement...

Ballade

Seulette suis et seulette veux être,
Seulette m'a mon doux ami laissée,

Seulette suis, sans compagnon ni maître,
Seulette suis, dolente et courroucée,
Seulette suis en langueur mésaisée,
Seulette suis plus que nulle égarée,
Seulette suis sans ami demeurée.

Seulette suis à huis ou à fenêtre,
Seulette suis en un anglet muchée,
Seulette suis pour moi de pleurs repaître,
Seulette suis, dolente ou apaisée,
Seulette suis, rien n'est qui tant me siée,
Seulette suis en ma chambre enserrée,
Seulette suis sans ami demeurée.

Seulette suis partout et en tout être,
Seulette suis, où je vais où je siée,
Seulette suis plus qu'autre rien terrestre,
Seulette suis, de chacun délaissée,
Seulette suis, durement abaissée,
Seulette suis souvent toute épleurée,
Seulette suis sans ami demeurée.

Princes, or est ma douleur commencée :
Seulette suis de tout deuil menacée,
Seulette suis plus tainte que morée,
Seulette suis sans ami demeurée.

(orthographe modernisée)

Charles d'Orléans
(1394 – 1465)

Le temps a laissé son manteau…

Rondeau

Le temps a laissé son manteau
De vent, de froidure et de pluie,
Et s'est vêtu de broderie,
De soleil luisant clair et beau.

Il n'y a bête ni oiseau
Qu'en son jargon ne chante ou crie.
Le temps a laissé son manteau
De vent, de froidure et de pluie.

Rivière, fontaine et ruisseau
Portent en livrée jolie
Gouttes d'argent d'orfèvrerie.
Chacun s'habille de nouveau,
Le temps a laissé son manteau.

(orthographe modernisée)

Hiver, vous n'êtes qu'un vilain…

Rondeau

Hiver, vous n'êtes qu'un vilain
Été est plaisant et gentil,
En témoignent Mai et Avril
Qui l'accompagnent soir et matin.

Été revêt champs, bois et fleurs,
De sa livrée de verdure
Et de maintes autres couleurs,
Par l'ordonnance de Nature.

Mais vous, Hiver, trop êtes plein
De neige, vent, pluie et grésil ;
On devrait vous bannir en exil.
Sans point flatter, je parle plain,
Hiver, vous n'êtes qu'un vilain !

(orthographe modernisée)

Petit mercier, petit panier…

Rondeau

Petit mercier, petit panier !
Pourtant si je n'ai marchandise
Qui soit du tout à votre guise,
Ne blâmez, pour ce, mon métier.

Je gagne denier à denier,
C'est loin du trésor de Venise,

Petit mercier, petit panier !
Pourtant si je n'ai marchandise…

Et tandis qu'il est jour ouvrier,
Je perds mon temps si je devise :
Je vais parfaire mon emprise
Et parmi les rues crier :
Petit mercier, petit panier !

(orthographe modernisée)

En regardant vers le pays de France…

Ballade

En regardant vers le pays de France,
Un jour m'advint, à Douvres sur la mer,
Qu'il me souvint de la douce plaisance
Que je soulais au dit pays trouver ;
Si commençai de cœur à soupirer,
Combien certes que grand bien me faisoit
De voir France que mon cœur aimer doit.

Je m'avisai que c'était non savance
De tels soupirs dedans mon cœur garder,
Vu que je vois que la voie commence
De bonne paix, qui tous biens peut donner ;
Pour ce, tournai en confort mon penser ;
Mais non pourtant mon cœur ne se lassoit
De voir France que mon cœur aimer doit.

Alors chargeai en la nef d'Espérance
Tous mes souhaits, en leur priant d'aller
Outre la mer, sans faire demeurance,
Et à France de me recommander.

Or nous donn' Dieu bonne paix sans tarder !
Adonc aurai loisir, mais qu'ainsi soit,
De voir France que mon cœur aimer doit.

Paix est trésor qu'on ne peut trop louer.
Je hais guerre, point ne la dois priser ;
Destourbé m'a longtemps, soit tort ou droit,
De voir France que mon cœur aimer doit !

(orthographe modernisée)

François Villon
(1431 - ? [après 1463])

Frères humains qui après nous vivez…

Ballade

Frères humains qui après nous vivez,
N'ayez les cœurs contre nous endurcis,
Car, si pitié de nous pauvres avez,
Dieu en aura plus tôt de vous mercis.
Vous nous voyez ci attachés cinq, six :
Quant à la chair que trop avons nourrie,
Elle est piéça dévorée et pourrie,
Et nous, les os, devenons cendre et poudre.
De notre mal personne ne s'en rie ;
Mais priez Dieu que tous nous veuille absoudre !

Si frères vous clamons, pas n'en devez
Avoir dédain, quoique fûmes occis
Par justice. Toutefois vous savez
Que tous hommes n'ont pas bon sens rassis ;
Excusez-nous, puisque sommes transis,
Envers le fils de la Vierge Marie,
Que sa grâce ne soit pour nous tarie,
Nous préservant de l'infernale foudre.
Nous sommes morts, âme ne nous harie,
Mais priez Dieu que tous nous veuille absoudre !

La pluie nous a débués et lavés,
Et le soleil desséchés et noircis ;
Pies, corbeaux, nous ont les yeux cavés,

Et arraché la barbe et les sourcils.
Jamais nul temps nous ne sommes assis ;
Puis çà, puis là, comme le vent varie,
À son plaisir sans cesser nous charrie,
Plus becquetés d'oiseaux que dés à coudre.
Ne soyez donc de notre confrérie ;
Mais priez Dieu que tous nous veuille absoudre !

Prince Jésus, qui sur tous a maistrie,
Garde qu'Enfer n'ait de nous seigneurie :
À lui n'ayons que faire ni que soudre.
Hommes, ici n'a point de moquerie ;
Mais priez Dieu que tous nous veuille absoudre !

L'Épitaphe Villon, dite « Ballade des pendus »
(orthographe modernisée)

Ballade des proverbes

Tant gratte chèvre que mal gît,
Tant va le pot à l'eau qu'il brise,
Tant chauffe-on le fer qu'il rougit,
Tant le maille-on qu'il se débrise,
Tant vaut l'homme comme on le prise,
Tant s'éloigne-il qu'il n'en souvient,
Tant mauvais est qu'on le déprise,
Tant crie-l'on Noël qu'il vient.

Tant parle-on qu'on se contredit,
Tant vaut bon bruit que grâce acquise,
Tant promet-on qu'on s'en dédit,
Tant prie-on que chose est acquise,
Tant plus est chère et plus est quise,
Tant la quiert-on qu'on y parvient,

Tant plus commune et moins requise,
Tant crie-l'on Noël qu'il vient.

Tant raille-on que plus on n'en rit,
Tant dépent-on qu'on n'a chemise,
Tant est-on franc que tout y frit,
Tant vaut « Tiens ! » que chose promise,
Tant aime-on Dieu qu'on suit l'Église,
Tant donne-on qu'emprunter convient,
Tant tourne vent qu'il chet en bise,
Tant crie-l'on Noël qu'il vient.

Tant aime-on chien qu'on le nourrit,
Tant court chanson qu'elle est apprise,
Tant garde-on fruit qu'il se pourrit,
Tant bat-on place qu'elle est prise,
Tant tarde-on que faut l'entreprise,
Tant se hâte-on que mal advient,
Tant embrasse-on que chet la prise,
Tant crie-l'on Noël qu'il vient.

Envoi

Prince, tant vit fol qu'il s'avise,
Tant va-il qu'après il revient,
Tant le mate-on qu'il se ravise,
Tant crie-l'on Noël qu'il vient.

(orthographe modernisée)

François Rabelais
(1494 – 1553)

La Dive Bouteille

O Bouteille

Plaine toute
De misteres,
D'vne aureille
Iet'escoute

Ne differes,

Et le mot proferes,

Auquel pend mon cœur.

En la tant diuine liqueur,

Baccus qui fut d'Inde vainqueur,

Tient toute verité enclose.

Vint ant diuin loin de toy est forclose

Toute mensonge, & toute tromperie.

En ioye soit l'Aire de Noach close,

Lequel de toy nous fist la temperie.

Somme le beau mot, ie t'en prie,

Qui me doit oster de misere.

Ainsi ne se perde vne goutte.

De toy, soit blanche ou soit vermeille.

O Bouteille
Plaine toute
De mysteres
D'vne aureille

Iet'escoute

Ne differes.

Ô Bouteille,
Pleine toute
De mystères,
D'une oreille
Je t'écoute :
Ne diffère,
Et le mot profère
Auquel pend mon cœur
En la tant divine liqueur,
Qui est dedans tes flancs reclose,
Bacchus, qui fut d'Inde vainqueur,
Tient toute vérité enclose.
Vin tant divin, loin de toi est forclose
Tout mensonge et toute tromperie.
En joie soit l'aire de Noach close,
Lequel de toi nous fit la tempérie.
Sonne le beau mot, je t'en prie,
Qui me doit ôter de misère.
Ainsi ne se perde une goutte
De toi, soit blanche ou soit vermeille.
Ô Bouteille,
Pleine toute
De mystères,
D'une oreille
Je t'écoute :
Ne diffère,

Le Cinquième et dernier Livre des faits et dits
héroïques du bon Pantagruel, XLIV

Clément Marot
(1496 – 1544)

De sa grande amie

Dedans Paris, ville jolie,
Un jour, passant mélancolie,
Je pris alliance nouvelle
À la plus gaie demoiselle
Qui soit d'ici en Italie.

D'honnêteté elle est saisie,
Et crois (selon ma fantaisie)
Qu'il n'en est guère de plus belle
Dedans Paris.

Je ne la vous nommerai mie,
Sinon que c'est ma grande amie,
Car l'alliance se fit telle
Par un doux baiser que j'eus d'elle,
Sans penser aucune infamie,
Dedans Paris.

L'Adolescence clémentine, Rondeaux

❧ • ❧

Le dizain de neige

Anne, par jeu, me jeta de la neige,
Que je cuidais froide certainement ;
Mais c'était feu ; l'expérience en ai-je,
Car embrasé je fus soudainement.
Puisque le feu loge secrètement
Dedans la neige, où trouverai-je place
Pour n'ardre point ? Anne, ta seule grâce
Éteindre peut le feu que je sens bien,
Non point par eau, par neige, ni par glace,
Mais par sentir un feu pareil au mien.

L'Adolescence clémentine

De soi-même

Plus ne suis ce que j'ai été
Et plus ne saurai jamais l'être
Mon beau printemps et mon été
Ont fait le saut par la fenêtre.

Amour, tu as été mon maître,
Je t'ai servi sur tous les dieux
Ah si je pouvais deux fois naître,
Comme je te servirais mieux !

L'Adolescence clémentine, Épigrammes

Maurice Scève
(1501 ? – 1563 ?)

Tant je l'aimai, qu'en elle encor je vis...

Dizain

Tant je l'aimai, qu'en elle encor je vis :
Et tant la vis, que, malgré moi, je l'aime.
Le sens, et l'âme y furent tant ravis,
Que par l'Œil faut que le cœur la désaime.
Est-il possible en ce degré suprême
Que fermeté son outrepas révoque ?
Tant fut la flamme en nous deux réciproque,
Que mon feu luit, quand le sien clair m'appert.
Mourant le sien, le mien tôt se suffoque.
Et ainsi elle, en se perdant, me perd.

Délie

Joachim Du Bellay
(1522 – 1560)

Heureux qui, comme Ulysse,
a fait un beau voyage…

Heureux qui, comme Ulysse, a fait un beau voyage,
Ou comme cestuy-là qui conquit la toison,
Et puis est retourné, plein d'usage et raison,
Vivre entre ses parents le reste de son âge !

Quand reverrai-je, hélas, de mon petit village
Fumer la cheminée, et en quelle saison
Reverrai-je le clos de ma pauvre maison,
Qui m'est une province, et beaucoup davantage ?

Plus me plaît le séjour qu'ont bâti mes aïeux,
Que des palais Romains le front audacieux,
Plus que le marbre dur me plaît l'ardoise fine,

Plus mon Loire gaulois que le Tibre latin,
Plus mon petit Liré que le mont Palatin,
Et plus que l'air marin la douceur angevine.

Les Regrets, Sonnets, XXXI

Villanelle

En ce mois délicieux,
Qu'amour toute chose incite,
Un chacun à qui mieux mieux
La douceur du temps imite,
Mais une rigueur dépite
Me fait pleurer mon malheur.
Belle et franche Marguerite
Pour vous j'ai cette douleur.
Dedans votre œil gracieux
Toute douceur est écrite,
Mais la douceur de vos yeux
En amertume est confite,
Souvent la couleuvre habite
Dessous une belle fleur.
Belle et franche Marguerite,
Pour vous j'ai cette douleur.
Or, puis que je deviens vieux,
Et que rien ne me profite,
Désespéré d'avoir mieux,
Je m'en irai rendre ermite,
Pour mieux pleurer mon malheur.
Belle et franche Marguerite,
Pour vous j'ai cette douleur.
Mais si la faveur des Dieux
Au bois vous avait conduite,
Ou, d'espérer d'avoir mieux,
Je m'en irai rendre ermite,
Peut être que ma poursuite
Vous ferait changer couleur.
Belle et franche Marguerite
Pour vous j'ai cette douleur.

Divers jeux rustiques, XIV

D'un vanneur de blé aux vents

À vous, troupe légère,
Qui d'aile passagère
Par le monde volez,
Et d'un sifflant murmure
L'ombrageuse verdure
Doucement ébranlez,

J'offre ces violettes,
Ces lis et ces fleurettes,
Et ces roses ici,
Ces vermeillettes roses,
Tout fraîchement écloses,
Et ces œillets aussi.

De votre douce haleine
Éventez cette plaine,
Éventez ce séjour,
Cependant que j'ahanne
À mon blé que je vanne
À la chaleur du jour.

Divers jeux rustiques, III

Pierre de Ronsard
(1524 – 1585)

Mignonne, allons voir si la rose…

Mignonne, allons voir si la rose
Qui ce matin avait déclose
Sa robe de pourpre au soleil,
A point perdu cette vêprée
Les plis de sa robe pourprée,
Et son teint au vôtre pareil.

Las ! voyez comme en peu d'espace,
Mignonne, elle a dessus la place
Las ! las ! ses beautés laissé choir !
Ô vraiment marâtre Nature,
Puisqu'une telle fleur ne dure
Que du matin jusques au soir !

Donc, si vous me croyez, mignonne,
Tandis que votre âge fleuronne
En sa plus verte nouveauté,
Cueillez, cueillez votre jeunesse :
Comme à cette fleur la vieillesse
Fera ternir votre beauté.

Odes, Livre I, « À Cassandre »

❧ • ❧

Quand vous serez bien vieille, au soir, à la chandelle…

Quand vous serez bien vieille, au soir, à la chandelle,
Assise auprès du feu, dévidant et filant,
Direz, chantant mes vers, en vous émerveillant :
Ronsard me célébrait du temps que j'étais belle.

Lors, vous n'aurez servante oyant telle nouvelle,
Déjà sous le labeur à demi sommeillant,
Qui au bruit de Ronsard ne s'aille réveillant,
Bénissant votre nom de louange immortelle.

Je serai sous la terre et fantôme sans os
Par les ombres myrteux je prendrai mon repos :
Vous serez au foyer une vieille accroupie,

Regrettant mon amour et votre fier dédain.
Vivez, si m'en croyez, n'attendez à demain :
Cueillez dès aujourd'hui les roses de la vie.

Sonnets pour Hélène

Madrigal

Si c'est aimer, Madame, et de jour, et de nuit
Rêver, songer, penser le moyen de vous plaire,
Oublier toute chose, et ne vouloir rien faire
Qu'adorer et servir la beauté qui me nuit :

Si c'est aimer que de suivre un bonheur qui me fuit,
De me perdre moi même et d'être solitaire,
Souffrir beaucoup de mal, beaucoup craindre et me taire,
Pleurer, crier merci, et m'en voir éconduit :

Si c'est aimer que de vivre en vous plus qu'en
                                       [moi-même,
Cacher d'un front joyeux, une langueur extrême,
Sentir au fond de l'âme un combat inégal,
Chaud, froid, comme la fièvre amoureuse me traite :

Honteux, parlant à vous de confesser mon mal !
Si cela est aimer : furieux je vous aime :
Je vous aime et sait bien que mon mal est fatal :
Le cœur le dit assez, mais la langue est muette.

Sonnets pour Hélène

Je vous envoie un bouquet que ma main...

Je vous envoie un bouquet que ma main
Vient de trier de ces fleurs épanouies,
Qui ne les eût à ce vêpre cueillies,
Chutes à terre elles fussent demain.

Cela vous soit un exemple certain
Que vos beautés, bien qu'elles soient fleuries,
En peu de temps cherront toutes flétries,
Et comme fleurs, périront tout soudain.

Le temps s'en va, le temps s'en va, ma Dame,
Las ! le temps non, mais nous nous en allons,
Et tôt serons étendus sous la lame :

Et des amours desquelles nous parlons,
Quand serons morts, n'en sera plus nouvelle :
Pour ce aimez-moi, cependant qu'êtes belle.

Second Livre des Amours de Marie

Ma maîtresse est toute angelette...

Chanson

Ma maîtresse est toute angelette,
Toute belle fleur nouvelette,
Toute mon gracieux accueil,
Toute ma petite brunette,
Toute ma douce mignonnette,
Toute mon cœur, toute mon œil.

Toute ma grâce et ma Charite,
Toute belle perle d'élite,
Toute doux parfum indien,
Toute douce odeur d'Assyrie,
Toute ma douce tromperie,
Toute mon mal, toute mon bien.

Toute miel, toute réglisse,
Toute ma petite malice,
Toute ma joie, et ma langueur,
Toute ma petite Angevine,
Ma toute simple, et toute fine,
Toute mon âme, et tout mon cœur.

Encore un envieux me nie
Que je ne dois aimer m'amie :
Mais quoi ? Si ce bel envieux
Disait que mes yeux je n'aimasse
Penseriez-vous que je laissasse,
Pour son dire, à n'aimer mes yeux ?

Second Livre des Amours de Marie

❧ • ❧

Chanson

Le printemps n'a point tant de fleurs,
L'automne tant de raisins mûrs,
Lété tant de chaleurs halées,
L'hiver tant de froides gelées,
Ni la mer n'a tant de poissons,
Ni la Beauce tant de moissons,
Ni la Bretagne tant d'arènes,
Ni l'Auvergne tant de fontaines,
Ni la nuit tant de clairs flambeaux,
Ni les forêts tant de rameaux,
Que je porte au cœur, ma maîtresse,
Pour vous de peine et de tristesse.

Second Livre des Amours de Marie

Comme on voit sur la branche
au mois de mai la rose...

Comme on voit sur la branche au mois de mai la rose,
En sa belle jeunesse, en sa première fleur,
Rendre le ciel jaloux de sa vive couleur,
Quand l'aube de ses pleurs au point du jour l'arrose ;

La grâce dans sa feuille, et l'amour se repose,
Embaumant les jardins et les arbres d'odeur ;
Mais battue ou de pluie ou d'excessive ardeur,
Languissante elle meurt, feuille à feuille déclose.

Ainsi en ta première et jeune nouveauté,
Quand la Terre et le Ciel honoraient ta beauté,
La Parque t'a tuée, et cendre tu reposes.

Pour obsèques reçois mes larmes et mes pleurs,
Ce vase plein de lait, ce panier plein de fleurs,
Afin que vif et mort ton corps ne soit que roses.

Second Livre des Amours de Marie

À son âme...

Âmelette Ronsardelette,
Mignonnelette, doucelette,
Très chère hôtesse de mon corps,
Tu descends là bas faiblelette,
Pâle, maigrelette, seulette,
Dans le froid royaume des morts :
Toutefois simple, sans remords
De meurtre, poison, ou rancune,
Méprisant faveurs et trésors
Tant enviés par la commune.

Passant, j'ai dit, suis ta fortune
Ne trouble mon repos, je dors.

Derniers vers

Louise Labé
(1526 – 1565)

Je vis, je meurs...

Je vis, je meurs ; je me brûle et me noie.
J'ai chaud extrême en endurant froidure ;
La vie m'est et trop molle et trop dure.
J'ai grands ennuis entremêlés de joie.

Tout à un coup je ris et je larmoie,
Et en plaisir maint grief tourment j'endure ;
Mon bien s'en va, et à jamais il dure :
Tout en un coup je sèche et je verdoie.

Ainsi Amour inconstamment me mène.
Et, quand je pense avoir plus de douleur,
Sans y penser je me trouve hors de peine.

Puis, quand je crois ma joie être certaine,
Et être au haut de mon désiré heur,
Il me remet en mon premier malheur.

Sonnets

François de Malherbe
(1555 – 1628)

Consolation à Monsieur Du Périer
sur la mort de sa fille

Ta douleur, du Périer, sera donc éternelle,
    Et les tristes discours
Que te met en l'esprit l'amitié paternelle
    L'augmenteront toujours ?

Le malheur de ta fille au tombeau descendue
    Par un commun trépas,
Est-ce quelque dédale, où ta raison perdue
    Ne se retrouve pas ?

Je sais de quels appas son enfance était pleine,
    Et n'ai pas entrepris,
Injurieux ami, de soulager ta peine
    Avecque son mépris.

Mais elle était du monde, où les plus belles choses
    Ont le pire destin ;
Et rose elle a vécu ce que vivent les roses,
    L'espace d'un matin.

Puis quand ainsi serait, que selon ta prière,
    Elle aurait obtenu
D'avoir en cheveux blancs terminé sa carrière,
    Qu'en fût-il advenu ?

Penses-tu que, plus vieille, en la maison céleste
    Elle eût eu plus d'accueil ?
Ou qu'elle eût moins senti la poussière funeste
    Et les vers du cercueil ?

Non, non, mon du Périer, aussitôt que la Parque
    Ôte l'âme du corps,
L'âge s'évanouit au deçà de la barque,
    Et ne suit point les morts…

La Mort a des rigueurs à nulle autre pareilles ;
    On a beau la prier,
La cruelle qu'elle est se bouche les oreilles,
    Et nous laisse crier.

Le pauvre en sa cabane, où le chaume le couvre,
    Est sujet à ses lois ;
Et la garde qui veille aux barrières du Louvre
    N'en défend point nos rois.

De murmurer contre elle, et perdre patience,
    Il est mal à propos ;
Vouloir ce que Dieu veut, est la seule science
    Qui nous met en repos.

Œuvres poétiques

Marc-Antoine Girard de Saint-Amant
(1594 – 1661)

Assis sur un fagot, une pipe à la main...

Assis sur un fagot, une pipe à la main,
Tristement accoudé contre une cheminée,
Les yeux fixés vers terre, et l'âme mutinée,
Je songe aux cruautés de mon sort inhumain.

L'espoir qui me remet du jour au lendemain,
Essaye à gagner temps sur ma peine obstinée,
Et me venant promettre une autre destinée,
Me fait monter plus haut qu'un empereur romain.

Mais à peine cette herbe est-elle mise en cendre,
Qu'en mon premier état il me convient descendre,
Et passer mes ennuis à redire souvent :

Non, je ne trouve point beaucoup de différence
De prendre du tabac à vivre d'espérance,
Car l'un n'est que fumée, et l'autre n'est que vent.

Chimères

Le paresseux

Accablé de paresse et de mélancolie,
Je rêve dans un lit où je suis fagoté,
Comme un lièvre sans os qui dort dans un pâté,
Ou comme un Don Quichotte en sa morne folie.

Là, sans me soucier des guerres d'Italie,
Du comte Palatin, ni de sa royauté,
Je consacre un bel hymne à cette oisiveté
Où mon âme en langueur est comme ensevelie.

Je trouve ce plaisir si doux et si charmant,
Que je crois que les biens me viendront en dormant,
Puisque je vois déjà s'en enfler ma bedaine,

Et hais tant le travail, que, les yeux entrouverts,
Une main hors des draps, cher Baudoin, à peine
Ai-je pu me résoudre à t'écrire ces vers.

La Suite des Œuvres

Le melon

Quelle odeur sens-je en cette chambre ?
Quel doux parfum de musc et d'ambre
Me vient le cerveau réjouir
Et tout le cœur épanouir ?
Ha ! bon Dieu ! j'en tombe en extase :
Ces belles fleurs qui dans ce vase
Parent le haut de ce buffet
Feraient-elles bien cet effet ?
A-t-on brûlé de la pastille ?
N'est-ce point ce vin qui pétille

Dans le cristal, que l'art humain
A fait pour couronner la main,
Et d'où sort, quand on en veut boire,
Un air de framboise à la gloire
Du bon terroir qui l'a porté
Pour notre éternelle santé ?
Non, ce n'est rien d'entre ces choses,
Mon penser, que tu me proposes.
Qu'est-ce donc ? Je l'ai découvert
Dans ce panier rempli de vert :
C'est un MELON, où la nature,
Par une admirable structure,
A voulu graver à l'entour
Mille plaisants chiffres d'amour,
Pour claire marque à tout le monde
Que d'une amitié sans seconde
Elle chérit ce doux manger,
Et que, d'un souci ménager,
Travaillant aux biens de la terre,
Dans ce beau fruit seul elle enserre
Toutes les aimables vertus
Dont les autres sont revêtus.

(Première strophe)
Les Œuvres III

Pierre de Marbeuf
(1596 – 1645)

Et la mer et l'amour ont l'amer pour partage…

À Philis.

Et la mer et l'amour ont l'amer pour partage,
Et la mer est amère, et l'amour est amer,
L'on s'abîme en l'amour aussi bien qu'en la mer,
Car la mer et l'amour ne sont point sans orage.

Celui qui craint les eaux, qu'il demeure au rivage,
Celui qui craint les maux qu'on souffre pour aimer,
Qu'il ne se laisse pas à l'amour enflammer,
Et tous deux ils seront sans hasard de naufrage.

La mère de l'amour eut la mer pour berceau,
Le feu sort de l'amour, sa mère sort de l'eau
Mais l'eau contre ce feu ne peut fournir des armes.

Si l'eau pouvait éteindre un brasier amoureux,
Ton amour qui me brûle est si fort douloureux,
Que j'eusse éteint son feu de la mer de mes larmes.

Recueil des vers

❧ • ❧

L'anatomie de l'œil

L'œil est dans un château que ceignent les frontières
De ce petit vallon clos de deux boulevards.
Il a pour pont-levis les mouvantes paupières,
Le cil pour garde-corps, les sourcils pour remparts.

Il comprend trois humeurs, l'aqueuse, la vitrée,
Et celle de cristal qui nage entre les deux :
Mais ce corps délicat ne peut souffrir l'entrée
À cela que nature a fait de nébuleux.

Six tuniques tenant notre œil en consistance,
L'empêche de glisser parmi ses mouvements,
Et les tendons poreux apportent la substance
Qui le garde, et nourrit tous ses compartiments.

Quatre muscles sont droits, et deux autres obliques,
Communiquant à l'œil sa prompte agilité,
Mais par la liaison qui joint les nerfs optiques,
Il est ferme toujours dans sa mobilité.

Bref, l'œil mesurant tout d'une même mesure,
À soi-même inconnu, connaît tout l'univers,
Et conçoit dans l'enclos de sa ronde figure
Le rond et le carré, le droit et le travers.

Toutefois ce flambeau qui conduit notre vie,
De l'obscur de ce corps emprunte sa clarté :
Nous serons donc ce corps, vous serez l'œil, Marie,
Qui prenez de l'impur votre pure beauté.

Recueil des vers

Vincent Voiture
(1597 – 1648)

Ma foi, c'est fait de moi…

Rondeau

Ma foi, c'est fait de moi ; car Isabeau
M'a conjuré de lui faire un rondeau.
Cela me met en une peine extrême.
Quoi ! treize vers : huit en eau, cinq en ème !
Je lui ferais aussitôt un bateau.

En voilà cinq pourtant en un monceau.
Faisons en huit, en invoquant Brodeau,
Et puis mettons par quelque stratagème :
    Ma foi, c'est fait.

Si je pouvais encor de mon cerveau
Tirer cinq vers, l'ouvrage serait beau.
Mais cependant je suis dedans l'onzième,
Et ci je crois que je fais le douzième,
En voilà treize ajustés au niveau :
    Ma foi, c'est fait !

Poésies

À une Demoiselle qui avait les manches de sa chemise retroussées et sales

Vous qui tenez incessamment
Cent amants dedans votre manche,
Tenez-les au moins proprement,
Et faites qu'elle soit plus blanche.

Vous pouvez avecque raison,
Usant des droits de la victoire,
Mettre vos galants en prison ;
Mais qu'elle ne soit pas si noire !

Mon cœur qui vous est si dévot,
Et que vous réduisez en cendre,
Vous le tenez dans un cachot,
Comme un prisonnier qu'on va pendre.

Est-ce que brûlant nuit et jour,
Je remplis ce lieu de fumée,
Et que le feu de mon amour
En a fait une cheminée ?

Poésies

Pierre Corneille
(1606 – 1684)

Stances à Marquise

Marquise, si mon visage
A quelques traits un peu vieux,
Souvenez-vous qu'à mon âge
Vous ne vaudrez guère mieux.

Le temps aux plus belles choses
Se plaît à faire un affront,
Et saura faner vos roses
Comme il a ridé mon front.

Le même cours des planètes
Règle nos jours et nos nuits
On m'a vu ce que vous êtes ;
Vous serez ce que je suis.

Cependant j'ai quelques charmes
Qui sont assez éclatants
Pour n'avoir pas trop d'alarmes
De ces ravages du temps.

Vous en avez qu'on adore ;
Mais ceux que vous méprisez
Pourraient bien durer encore
Quand ceux-là seront usés.

Ils pourront sauver la gloire
Des yeux qui me semblent doux,

Et dans mille ans faire croire
Ce qu'il me plaira de vous.

Chez cette race nouvelle,
Où j'aurai quelque crédit,
Vous ne passerez pour belle
Qu'autant que je l'aurai dit.

Pensez-y, belle marquise.
Quoiqu'un grison fasse effroi,
Il vaut bien qu'on le courtise
Quand il est fait comme moi.

Paul Scarron
(1610 – 1660)

Sur Paris

Un amas confus de maisons
Des crottes dans toutes les rues
Ponts, églises, palais, prisons
Boutiques bien ou mal pourvues

Force gens noirs, blancs, roux, grisons
Des prudes, des filles perdues,
Des meurtres et des trahisons
Des gens de plume aux mains crochues

Maint poudré qui n'a pas d'argent
Maint filou qui craint le sergent
Maint fanfaron qui toujours tremble,

Pages, laquais, voleurs de nuit,
Carrosses, chevaux et grand bruit
Voilà Paris : que vous en semble ?

Poésies diverses

Épitaphe

Celui qui ci maintenant dort
Fit plus de pitié que d'envie,
Et souffrit mille fois la mort
Avant que de perdre la vie.
Passant, ne fais ici de bruit,
Prends garde qu'aucun ne l'éveille ;
Car voici la première nuit
Que le pauvre Scarron sommeille.

Jean de La Fontaine
(1621 – 1695)

La Cigale et la Fourmi

La Cigale, ayant chanté
Tout l'été,
Se trouva fort dépourvue
Quand la bise fut venue :
Pas un seul petit morceau
De mouche ou de vermisseau.
Elle alla crier famine
Chez la Fourmi sa voisine,
La priant de lui prêter
Quelque grain pour subsister
Jusqu'à la saison nouvelle.
« Je vous paierai, lui dit-elle,
Avant l'Oût, foi d'animal,
Intérêt et principal. »
La Fourmi n'est pas prêteuse :
C'est là son moindre défaut.
Que faisiez-vous au temps chaud ?
Dit-elle à cette emprunteuse.
— Nuit et jour à tout venant
Je chantais, ne vous déplaise.
— Vous chantiez ? j'en suis fort aise.
Eh bien ! dansez maintenant.

Fables

Le Loup et l'Agneau

La raison du plus fort est toujours la meilleure :
Nous l'allons montrer tout à l'heure.
Un Agneau se désaltérait
Dans le courant d'une onde pure.
Un Loup survient à jeun qui cherchait aventure,
Et que la faim en ces lieux attirait.
Qui te rend si hardi de troubler mon breuvage ?
Dit cet animal plein de rage :
Tu seras châtié de ta témérité.
— Sire, répond l'Agneau, que votre Majesté
Ne se mette pas en colère ;
Mais plutôt qu'elle considère
Que je me vas désaltérant
Dans le courant,
Plus de vingt pas au-dessous d'Elle,
Et que par conséquent, en aucune façon,
Je ne puis troubler sa boisson.
— Tu la troubles, reprit cette bête cruelle,
Et je sais que de moi tu médis l'an passé.
— Comment l'aurais-je fait si je n'étais pas né ?
Reprit l'Agneau, je tette encor ma mère.
— Si ce n'est toi, c'est donc ton frère.
— Je n'en ai point. — C'est donc quelqu'un des tiens :
Car vous ne m'épargnez guère,
Vous, vos bergers, et vos chiens.
On me l'a dit : il faut que je me venge.
Là-dessus, au fond des forêts
Le Loup l'emporte, et puis le mange,
Sans autre forme de procès.

Fables

Le Renard et les Raisins

Certain Renard gascon, d'autres disent normand,
Mourant presque de faim, vit au haut d'une treille
Des Raisins mûrs apparemment,
Et couverts d'une peau vermeille.
Le galand en eût fait volontiers un repas ;
Mais comme il n'y pouvait atteindre :
« Ils sont trop verts, dit-il, et bons pour des goujats. »
Fit-il pas mieux que de se plaindre ?

Fables

La Laitière et le Pot au lait

Perrette sur sa tête ayant un Pot au lait
Bien posé sur un coussinet,
Prétendait arriver sans encombre à la ville.
Légère et court vêtue elle allait à grands pas ;
Ayant mis ce jour-là, pour être plus agile,
Cotillon simple, et souliers plats.
Notre laitière ainsi troussée
Comptait déjà dans sa pensée
Tout le prix de son lait, en employait l'argent,
Achetait un cent d'œufs, faisait triple couvée ;
La chose allait à bien par son soin diligent.
Il m'est, disait-elle, facile,
D'élever des poulets autour de ma maison :
Le Renard sera bien habile,
S'il ne m'en laisse assez pour avoir un cochon.
Le porc à s'engraisser coûtera peu de son ;
Il était quand je l'eus de grosseur raisonnable :
J'aurai le revendant de l'argent bel et bon.
Et qui m'empêchera de mettre en notre étable,

Vu le prix dont il est, une vache et son veau,
Que je verrai sauter au milieu du troupeau ?
Perrette là-dessus saute aussi, transportée.
Le lait tombe ; adieu veau, vache, cochon, couvée ;
La dame de ces biens, quittant d'un œil marri
Sa fortune ainsi répandue,
Va s'excuser à son mari
En grand danger d'être battue.
Le récit en farce en fut fait ;
On l'appela le Pot au lait.

Quel esprit ne bat la campagne ?
Qui ne fait châteaux en Espagne ?
Picrochole, Pyrrhus, la Laitière, enfin tous,
Autant les sages que les fous ?
Chacun songe en veillant, il n'est rien de plus doux :
Une flatteuse erreur emporte alors nos âmes :
Tout le bien du monde est à nous,
Tous les honneurs, toutes les femmes.
Quand je suis seul, je fais au plus brave un défi ;
Je m'écarte, je vais détrôner le Sophi ;
On m'élit roi, mon peuple m'aime ;
Les diadèmes vont sur ma tête pleuvant :
Quelque accident fait-il que je rentre en moi-même ;
Je suis gros Jean comme devant.

Chansons
(anonymes, XVIIIᵉ siècle)

Vive la rose

Ritournelle
Chaque couplet est répété une fois.

Mon amant me délaisse
Ô gué, vive la rose

Je ne sais pas pourquoi
Vive la rose et le lilas

Il va-t-en voir une autre
Ô gué, vive la rose

Ne sais s'il reviendra
Vive la rose et le lilas

On dit qu'elle est très belle
Ô gué, vive la rose

Bien plus belle que moi
Vive la rose et le lilas

On dit qu'elle est plus riche
Ô gué, vive la rose

Bien plus riche que moi
Vive la rose et le lilas

On dit qu'elle est malade
Ô gué, vive la rose

Peut-être qu'elle en mourra
Vive la rose et le lilas

Si elle meurt dimanche
Ô gué vive la rose

Lundi on l'enterr'ra
Vive la rose et le lilas

Mardi il m' reviendra
Ô gué vive la rose

Mais je n'en voudrai pas
Vive la rose et le lilas

Aux marches du palais

Aux marches du palais,
Aux marches du palais,
Y a une tant belle fille, Lonla,
Y a une tant belle fille.

Elle a tant d'amoureux,
Elle a tant d'amoureux,
Qu'elle ne sait lequel prendre, Lonla,
Qu'elle ne sait lequel prendre,

C'est un p'tit cordonnier,
C'est un p'tit cordonnier,
Qu'a eu la préférence, Lonla,
Qu'a eu la préférence.

Et c'est en la chaussant,
Et c'est en la chaussant,
Qu'il fit sa confidence, Lonla,
Qu'il fit sa confidence.

La belle si tu voulais,
La belle si tu voulais,
Nous dormirions ensemble, Lonla,
Nous dormirions ensemble.

Dans un grand lit carré,
Dans un grand lit carré,
Orné de toile blanche, Lonla,
Orné de toile blanche.

Aux quatre coins du lit,
Aux quatre coins du lit,
Un bouquet de pervenches, Lonla,
Un bouquet de pervenches.

Dans le mitan du lit,
Dans le mitan du lit,
La rivière est profonde, Lonla,
La rivière est profonde.

Tous les chevaux du Roi,
Tous les chevaux du Roi,
Pourraient y boire ensemble, Lonla,
Pourraient y boire ensemble.

Et nous y dormirions,
Et nous y dormirions,
Jusqu'à la fin du monde, Lonla,
Jusqu'à la fin du monde.

Les Mensonges

Comptine

Ah, j'ai vu, j'ai vu,
— Compère, qu'as-tu vu ?
J'ai vu une vache
Qui dansait sur la glace
À la Saint-Jean d'été.
— Compère, vous mentez.

Ah, j'ai vu, j'ai vu,
— Compère, qu'as-tu vu ?
J'ai vu une grenouille
Qui faisait la patrouille
Le sabre au côté.
— Compère, vous mentez.

Ah, j'ai vu, j'ai vu,
— Compère, qu'as-tu vu ?
Ah, j'ai vu un loup
Qui vendait des choux
Sur la place Labourée.
— Compère, vous mentez.

Ah j'ai vu, j'ai vu,
— Compère, qu'as-tu vu ?
J'ai vu une anguille
Qui coiffait sa fille
Pour s'aller marier.
— Compère, vous mentez.

Fabre d'Églantine
(1750 – 1794)

Il pleut, il pleut, bergère...

Il pleut, il pleut, bergère,
Presse tes blancs moutons,
Allons sous ma chaumière,
Bergère, vite, allons.
J'entends sur le feuillage
L'eau qui tombe à grand bruit ;
Voici, voici l'orage,
Voici l'éclair qui luit.

Bonsoir, bonsoir, ma mère,
Ma sœur Anne, bonsoir !
J'amène ma bergère
Près de nous pour ce soir.
Va te sécher, ma mie,
Auprès de nos tisons.
Sœur, fais-lui compagnie ;
Entrez, petits moutons.

Soupons : prends cette chaise,
Tu seras près de moi ;
Ce flambeau de mélèze
Brûlera devant toi :
Goûte de ce laitage ;
Mais tu ne manges pas ?
Tu te sens de l'orage ;
Il a lassé tes pas.

Eh bien, voici ta couche ;
Dors-y jusques au jour ;
Laisse-moi sur ta bouche
Prendre un baiser d'amour.
Ne rougis pas, bergère :
Ma mère et moi, demain,
Nous irons chez ton père
Lui demander ta main.

Chanson tirée de l'opérette *Laure et Pétrarque* (1780),
musique de Victor Simon

Jean-Pierre Claris de Florian
(1755 – 1794)

La Guenon, le Singe et la Noix

Une jeune guenon cueillit
Une noix dans sa coque verte ;
Elle y porte la dent, fait la grimace… Ah ! certes
Dit-elle, ma mère mentit
Quand elle m'assura que les noix étaient bonnes.
Puis, croyez aux discours de ces vieilles personnes
Qui trompent la jeunesse ! Au diable soit le fruit !
Elle jette la noix. Un singe la ramasse,
Vite, entre deux cailloux la casse,
L'épluche, la mange et lui dit :
Votre mère eut raison, ma mie,
Les noix ont fort bon goût ; mais il faut les ouvrir.
Souvenez-vous que, dans la vie,
Sans un peu de travail on n'a point de plaisir.

Fables

Le Grillon

Un pauvre petit grillon
Caché dans l'herbe fleurie
Regardait un papillon
Voltigeant dans la prairie

L'insecte ailé brillait des plus vives couleurs
L'azur, le pourpre et l'or éclataient sur ses ailes.
Jeune, beau, petit-maître, il court de fleur en fleur,
Prenant et quittant les plus belles.
Ah ! disait le grillon, que son sort et le mien
Sont différents ! dame Nature
Pour lui fit tout, et pour moi rien.
Je n'ai point de talent, encor moins de figure ;
Nul ne prend garde à moi, l'on m'ignore ici bas !
Autant voudrait n'exister pas.
Comme il parlait, dans la prairie
Arrive une troupe d'enfants.
Aussitôt les voilà courant
Après le papillon dont ils ont tous envie :
Chapeau, mouchoirs bonnets, servent à l'attraper.
L'insecte cherche vainement à leur échapper,
Il devient bientôt leur conquête.
L'un le saisit par l'aile, un autre par le corps ;
Un troisième survient, et le prend par la tête :
Il ne fallait pas tant d'efforts
Pour déchirer la pauvre bête.
Oh ! oh ! dit le grillon, je ne suis pas fâché ;
Il en coûte trop cher pour briller dans le monde.
Combien je vais aimer ma retraite profonde !
Pour vivre heureux, vivons cachés.

Fables

Plaisir d'amour

Chanson

Plaisir d'amour ne dure qu'un moment,
Chagrin d'amour dure toute la vie.

J'ai tout quitté pour l'ingrate Sylvie,
Elle me quitte et prend un autre amant.
Plaisir d'amour ne dure qu'un moment,
Chagrin d'amour dure toute la vie.

Tant que cette eau coulera doucement
Vers ce ruisseau qui borde la prairie,
Je t'aimerai, me répétait Sylvie ;
L'eau coule encor, elle a changé pourtant !

Plaisir d'amour ne dure qu'un moment,
Chagrin d'amour dure toute la vie.

Musique Jean-Paul Martini (1741 – 1816)

Francois-René de Chateaubriand
(1768 – 1848)

Souvenir du pays de France

Romance

Combien j'ai douce souvenance
Du joli lieu de ma naissance !
Ma sœur, qu'ils étaient beaux les jours
De France !
Ô mon pays, sois mes amours
Toujours !

Te souvient-il que notre mère,
Au foyer de notre chaumière,
Nous pressait sur son cœur joyeux,
Ma chère ?
Et nous baisions ses blancs cheveux
Tous deux.

Ma sœur, te souvient-il encore
Du château que baignait la Dore ;
Et de cette tant vieille tour
Du Maure,
Où l'airain sonnait le retour
Du jour ?

Te souvient-il du lac tranquille
Qu'effleurait l'hirondelle agile,
Du vent qui courbait le roseau
Mobile,

Et du soleil couchant sur l'eau,
Si beau ?

Oh ! qui me rendra mon Hélène,
Et ma montagne et le grand chêne ?
Leur souvenir fait tous les jours
Ma peine :
Mon pays sera mes amours
Toujours !

Poésies diverses

Marc-Antoine Désaugiers
(1772 – 1827)

Tableau de Paris à cinq heures du matin

Chanson

L'ombre s'évapore
Et déjà l'aurore
De ses rayons dore
Les toits alentours
Les lampes pâlissent,
Les maisons blanchissent
Les marchés s'emplissent :
On a vu le jour.

De la Villette
Dans sa charrette,
Suzon brouette
Ses fleurs sur le quai,
Et de Vincennes,
Gros-Pierre amène
Ses fruits que traîne
Un âne efflanqué.

Déjà l'épicière,
Déjà la fruitière,
Déjà l'écaillère
Sautent au bas du lit.
L'ouvrier travaille,
L'écrivain rimaille,

Le fainéant baille,
Et le savant lit.

J'entends Javotte,
Portant sa hotte,
Crier : Carotte,
Panais et chou-fleur !
Perçant et grêle,
Son cri se mêle
À la voix frêle
Du noir ramoneur.

L'huissier carillonne,
Attend, jure, sonne,
Ressonne, et la bonne,
Qui l'entend trop bien,
Maudissant le traître,
Du lit de son maître
Prompte à disparaître,
Regagne le sien.

Gentille, accorte
Devant ma porte
Perrette apporte
Son lait encor chaud ;
Et la portière,
Sous la gouttière,
Pend la volière
De Dame Margot.

Le joueur avide,
La mine livide,
et la bourse vide,
Rentre en fulminant ;
Et sur son passage,
L'ivrogne, plus sage,
Rêvant son breuvage,
Ronfle en fredonnant.

Tout, chez Hortense,
Est en cadence ;
On chante, on danse,
Joue, et cætera...
Et sur la pierre
Un pauvre hère,
La nuit entière,
Souffrit et pleura.

Le malade sonne,
Afin qu'on lui donne
La drogue qu'ordonne
Son vieux médecin ;
Tandis que sa belle,
Que l'amour appelle,
Au plaisir fidèle,
Feint d'aller au bain.

Quand vers Cythère,
La solitaire,
Avec mystère,
Dirige ses pas,
La diligence
Part pour Mayence,
Bordeaux, Florence,
Ou les Pays-Bas.

« Adieu donc, mon père,
Adieu donc, mon frère,
Adieu donc, ma mère,
— Adieu, mes petits. »
Les chevaux hennissent,
Les fouets retentissent,
Les vitres frémissent :
Les voilà partis.

Dans chaque rue,
Plus parcourue,

La foule accrue
Grossit tout à coup :
Grands, valetaille,
Vieillards, marmaille,
Bourgeois, canaille,
Abondent partout.

Ah ! quelle cohue !
Ma tête est perdue,
Moulue et fendue,
Où donc me cacher !
Jamais mon oreille
N'eut frayeur pareille...
Tout Paris s'éveille...
Allons nous coucher.

PARIS À CINQ HEURES DU MATIN, avec accomp. de piano, par M. H. COLET, profes. d'Harmonie au Conservatoire.

Marceline Desbordes-Valmore
(1786 – 1859)

L'oreiller d'un enfant

Cher petit oreiller, doux et chaud sous ma tête,
Plein de plume choisie, et blanc, et fait pour moi !
Quand on a peur du vent, des loups, de la tempête,
Cher petit oreiller, que je dors bien sur toi !

Beaucoup, beaucoup d'enfants, pauvres et nus, sans
[mère,
Sans maison, n'ont jamais d'oreiller pour dormir ;
Ils ont toujours sommeil, ô destinée amère !
Maman ! douce maman ! cela me fait gémir …

Poésies inédites

Ma chambre

Ma demeure est haute,
Donnant sur les cieux ;
La lune en est l'hôte
Pâle et sérieux.
En bas que l'on sonne,
Qu'importe aujourd'hui ?
Ce n'est plus personne,
Quand ce n'est pas lui !

Aux autres cachée,
Je brode mes fleurs ;
Sans être fâchée,
Mon âme est en pleurs ;
Le ciel bleu sans voiles,
Je le vois d'ici ;
Je vois les étoiles,
Mais l'orage aussi !

Vis-à-vis la mienne
Une chaise attend :
Elle fut la sienne,
La nôtre un instant ;
D'un ruban signée,
Cette chaise est là,
Toute résignée,
Comme me voilà !

Bouquets et Prières

Alphonse de Lamartine
(1790 – 1869)

Milly ou la terre natale

Pourquoi le prononcer ce nom de la patrie ?
Dans son brillant exil mon cœur en a frémi ;
Il résonne de loin dans mon âme attendrie,
Comme les pas connus ou la voix d'un ami.

Montagnes que voilait le brouillard de l'automne,
Vallons que tapissait le givre du matin,
Saules dont l'émondeur effeuillait la couronne,
Vieilles tours que le soir dorait dans le lointain,

Murs noircis par les ans, coteaux, sentier rapide,
Fontaine où les pasteurs accroupis tour à tour
Attendaient goutte à goutte une eau rare et limpide,
Et, leur urne à la main, s'entretenaient du jour,

Chaumière où du foyer étincelait la flamme,
Toit que le pèlerin aimait à voir fumer,
Objets inanimés, avez-vous donc une âme
Qui s'attache à notre âme et la force d'aimer ?

Harmonies poétiques et religieuses

Le lac

Ainsi, toujours poussés vers de nouveaux rivages,
Dans la nuit éternelle emportés sans retour,
Ne pourrons-nous jamais sur l'océan des âges
Jeter l'ancre un seul jour ?

Ô lac ! l'année à peine a fini sa carrière,
Et près des flots chéris qu'elle devait revoir,
Regarde ! je viens seul m'asseoir sur cette pierre
Où tu la vis s'asseoir !

Tu mugissais ainsi sous ces roches profondes,
Ainsi tu te brisais sur leurs flancs déchirés,
Ainsi le vent jetait l'écume de tes ondes
Sur ses pieds adorés.

Un soir, t'en souvient-il ? nous voguions en silence ;
On n'entendait au loin, sur l'onde et sous les cieux,
Que le bruit des rameurs qui frappaient en cadence
Tes flots harmonieux.

Tout à coup des accents inconnus à la terre
Du rivage charmé frappèrent les échos ;
Le flot fut attentif, et la voix qui m'est chère
Laissa tomber ces mots :

« Ô temps ! suspends ton vol, et vous, heures propices !
Suspendez votre cours :
Laissez-nous savourer les rapides délices
Des plus beaux de nos jours !

« Assez de malheureux ici-bas vous implorent,
Coulez, coulez pour eux ;
Prenez avec leurs jours les soins qui les dévorent ;
Oubliez les heureux.

« Mais je demande en vain quelques moments encore,
Le temps m'échappe et fuit ;
Je dis à cette nuit : Sois plus lente ; et l'aurore
Va dissiper la nuit.

« Aimons donc, aimons donc ! de l'heure fugitive,
Hâtons-nous, jouissons !
L'homme n'a point de port, le temps n'a point de
                                        [rive ;
Il coule, et nous passons ! »

Temps jaloux, se peut-il que ces moments d'ivresse,
Où l'amour à longs flots nous verse le bonheur,
S'envolent loin de nous de la même vitesse
Que les jours de malheur ?

Eh quoi ! n'en pourrons-nous fixer au moins la trace ?
Quoi ! passés pour jamais ! quoi ! tout entiers perdus !
Ce temps qui les donna, ce temps qui les efface,
Ne nous les rendra plus !

Éternité, néant, passé, sombres abîmes,
Que faites-vous des jours que vous engloutissez ?
Parlez : nous rendrez-vous ces extases sublimes
Que vous nous ravissez ?

Ô lac ! rochers muets ! grottes ! forêt obscure !
Vous, que le temps épargne ou qu'il peut rajeunir,
Gardez de cette nuit, gardez, belle nature,
Au moins le souvenir !

Qu'il soit dans ton repos, qu'il soit dans tes orages,
Beau lac, et dans l'aspect de tes riants coteaux,
Et dans ces noirs sapins, et dans ces rocs sauvages
Qui pendent sur tes eaux.

Qu'il soit dans le zéphyr qui frémit et qui passe,
Dans les bruits de tes bords par tes bords répétés,

Dans l'astre au front d'argent qui blanchit ta surface
De ses molles clartés.

Que le vent qui gémit, le roseau qui soupire,
Que les parfums légers de ton air embaumé,
Que tout ce qu'on entend, l'on voit ou l'on respire,
Tout dise : « Ils ont aimé ! »

Méditations poétiques

Alfred de Vigny
(1797 – 1863)

La Frégate La Sérieuse *ou* La Plainte
du Capitaine

Qu'elle était belle, ma Frégate,
Lorsqu'elle voguait dans le vent !
Elle avait, au soleil levant,
Toutes les couleurs de l'agate ;
Ses voiles luisaient le matin
Comme des ballons de satin ;
Sa quille mince, longue et plate,
Portait deux bandes d'écarlate
Sur vingt-quatre canons cachés ;
Ses mâts, en arrière penchés,
Paraissaient à demi couchés.
Dix fois plus vive qu'un pirate,
En cent jours du Havre à Surate
Elle nous emporta souvent.
— Qu'elle était belle, ma Frégate,
Lorsqu'elle voguait dans le vent !

(Strophe 1)
Poèmes antiques et modernes

❧ • ❧

La maison du berger

Poésie ! ô trésor ! perle de la pensée !
Les tumultes du cœur, comme ceux de la mer,
Ne sauraient empêcher ta robe nuancée
D'amasser les couleurs qui doivent te former.
Mais sitôt qu'il te voit briller sur un front mâle,
Troublé de ta lueur mystérieuse et pâle,
Le vulgaire effrayé commence à blasphémer.

Le pur enthousiasme est craint des faibles âmes
Qui ne sauraient porter son ardeur ni son poids.
Pourquoi le fuir ? – La vie est double dans les
                                        [flammes.
D'autres flambeaux divins nous brûlent quelquefois :
C'est le Soleil du ciel, c'est l'amour, c'est la Vie ;
Mais qui de les éteindre a jamais eu l'envie ?
Tout en les maudissant, on les chérit tous trois.
La Muse a mérité les insolents sourires
Et les soupçons moqueurs qu'éveille son aspect.
Dès que son œil chercha le regard des Satyres,
Sa parole trembla, son serment fut suspect,
Il lui fut interdit d'enseigner la Sagesse.
Au passant du chemin elle criait : Largesse !
Le passant lui donna sans crainte et sans respect.

(II, les deux premières strophes)
Les Destinées

Le cor

J'aime le son du cor, le soir, au fond des bois,
Soit qu'il chante les pleurs de la biche aux abois,

Ou l'adieu du chasseur que l'écho faible accueille,
Et que le vent du nord porte de feuille en feuille.

Que de fois, seul, dans l'ombre à minuit demeuré,
J'ai souri de l'entendre, et plus souvent pleuré !
Car je croyais ouïr de ces bruits prophétiques
Qui précédaient la mort des paladins antiques.

O montagnes d'azur ! ô pays adoré !
Rocs de la Frazona, cirque du Marboré,
Cascades qui tombez des neiges entraînées,
Sources, gaves, ruisseaux, torrents des Pyrénées ;

Monts gelés et fleuris, trône des deux saisons,
Dont le front est de glace et le pied de gazon !
C'est là qu'il faut s'asseoir, c'est là qu'il faut entendre
Les airs lointains d'un cor mélancolique et tendre.

Souvent un voyageur, lorsque l'air est sans bruit,
De cette voix d'airain fait retentir la nuit ;
À ses chants cadencés autour de lui se mêle
L'harmonieux grelot du jeune agneau qui bêle.

Une biche attentive, au lieu de se cacher,
Se suspend immobile au sommet du rocher,
Et la cascade unit, dans une chute immense,
Son éternelle plainte au chant de la romance.

Âmes des chevaliers, revenez-vous encor ?
Est-ce vous qui parlez avec la voix du cor ?
Roncevaux ! Roncevaux ! Dans ta sombre vallée
L'ombre du grand Roland n'est donc pas consolée !

(Première partie)
Poèmes antiques et modernes

Victor Hugo
(1802 – 1885)

Aux Feuillantines

Mes deux frères et moi, nous étions tout enfants.
Notre mère disait : jouez, mais je défends
Qu'on marche dans les fleurs et qu'on monte aux échelles.

Abel était l'aîné, j'étais le plus petit.
Nous mangions notre pain de si bon appétit,
Que les femmes riaient quand nous passions près d'elles.

Nous montions pour jouer au grenier du couvent.
Et là, tout en jouant, nous regardions souvent
Sur le haut d'une armoire un livre inaccessible.

Nous grimpâmes un jour jusqu'à ce livre noir ;
Je ne sais pas comment nous fîmes pour l'avoir,
Mais je me souviens bien que c'était une Bible.

Ce vieux livre sentait une odeur d'encensoir.
Nous allâmes ravis dans un coin nous asseoir.
Des estampes partout ! quel bonheur ! quel délire !

Nous l'ouvrîmes alors tout grand sur nos genoux,
Et dès le premier mot il nous parut si doux
Qu'oubliant de jouer, nous nous mîmes à lire.

Nous lûmes tous les trois ainsi, tout le matin,
Joseph, Ruth et Booz, le bon Samaritain,
Et, toujours plus charmés, le soir nous le relûmes.

Tels des enfants, s'ils ont pris un oiseau des cieux,
S'appellent en riant et s'étonnent, joyeux,
De sentir dans leur main la douceur de ses plumes.

Les Contemplations

❧ • ❧

Vieille chanson du jeune temps

Je ne songeais pas à Rose ;
Rose au bois vint avec moi ;
Nous parlions de quelque chose,
Mais je ne sais plus de quoi.

J'étais froid comme les marbres ;
Je marchais à pas distraits ;
Je parlais des fleurs, des arbres
Son œil semblait dire : « Après ? »

La rosée offrait ses perles,
Le taillis ses parasols ;
J'allais ; j'écoutais les merles,
Et Rose les rossignols.

Moi, seize ans, et l'air morose ;
Elle, vingt ; ses yeux brillaient.
Les rossignols chantaient Rose
Et les merles me sifflaient.

Rose, droite sur ses hanches,
Leva son beau bras tremblant
Pour prendre une mûre aux branches
Je ne vis pas son bras blanc.

Une eau courait, fraîche et creuse,
Sur les mousses de velours ;

Et la nature amoureuse
Dormait dans les grands bois sourds.

Rose défit sa chaussure,
Et mit, d'un air ingénu,
Son petit pied dans l'eau pure
Je ne vis pas son pied nu.

Je ne savais que lui dire ;
Je la suivais dans le bois,
La voyant parfois sourire
Et soupirer quelquefois.

Je ne vis qu'elle était belle
Qu'en sortant des grands bois sourds.
« Soit ; n'y pensons plus ! » dit-elle.
Depuis, j'y pense toujours.

Les Contemplations

❧ • ❧

Mes deux filles

Dans le frais clair-obscur du soir charmant qui tombe,
L'une pareille au cygne et l'autre à la colombe,
Belles, et toutes deux joyeuses, ô douceur !
Voyez, la grande sœur et la petite sœur
Sont assises au seuil du jardin, et sur elles
Un bouquet d'œillets blancs aux longues tiges frêles,
Dans une urne de marbre agité par le vent ;
Se penche, et les regarde, immobile et vivant,
Et frissonne dans l'ombre, et semble au bord du vase,
Un vol de papillons arrêté dans l'extase.

La Terrasse, près Enghien, juin 1842
Les Contemplations

❧ • ❧

Elle avait pris ce pli ...

Elle avait pris ce pli dans son âge enfantin
De venir dans ma chambre un peu chaque matin ;
Je l'attendais ainsi qu'un rayon qu'on espère ;
Elle entrait, et disait : — Bonjour, mon petit père !
Prenait ma plume, ouvrait mes livres, s'asseyait
Sur mon lit, dérangeait mes papiers, et riait,
Puis soudain s'en allait comme un oiseau qui passe.
Alors, je reprenais, la tête un peu moins lasse,
Mon œuvre interrompue, et, tout en écrivant,
Parmi mes manuscrits je rencontrais souvent
Quelque arabesque folle et qu'elle avait tracée,
Et mainte page blanche entre ses mains froissée
Où, je ne sais comment, venaient mes plus doux vers.
Elle aimait Dieu, les fleurs, les astres, les prés verts,
Et c'était un esprit avant d'être une femme.
Son regard reflétait la clarté de son âme.
Elle me consultait sur tout à tous moments.
Oh ! que de soirs d'hiver radieux et charmants
Passés à raisonner langue, histoire et grammaire,
Mes quatre enfants groupés sur mes genoux, leur
                                                    [mère
Tout près, quelques amis causant au coin du feu !
J'appelais cette vie être content de peu !
Et dire qu'elle est morte ! Hélas ! que Dieu m'assiste !
Je n'étais jamais gai quand je la sentais triste ;
J'étais morne au milieu du bal le plus joyeux
Si j'avais, en partant, vu quelque ombre en ses yeux.

Novembre 1846, Jour des Morts
Les Contemplations

❧ • ❧

Demain, dès l'aube...

Demain, dès l'aube, à l'heure où blanchit la
                                      [campagne,
Je partirai. Vois-tu, je sais que tu m'attends.
J'irai par la forêt, j'irai par la montagne.
Je ne puis demeurer loin de toi plus longtemps.

Je marcherai les yeux fixés sur mes pensées,
Sans rien voir au dehors, sans entendre aucun bruit,
Seul, inconnu, le dos courbé, les mains croisées,
Triste, et le jour pour moi sera comme la nuit.

Je ne regarderai ni l'or du soir qui tombe,
Ni les voiles au loin descendant vers Harfleur,
Et quand j'arriverai, je mettrai sur ta tombe
Un bouquet de houx vert et de bruyère en fleur.

3 septembre 1847
Les Contemplations

Jeanne était au pain sec...

Jeanne était au pain sec dans le cabinet noir,
Pour un crime quelconque, et, manquant au devoir,
J'allai voir la proscrite en pleine forfaiture,
Et lui glissai dans l'ombre un pot de confiture
Contraire aux lois. Tous ceux sur qui, dans ma cité,
Repose le salut de la société,
S'indignèrent, et Jeanne a dit d'une voix douce :
— Je ne toucherai plus mon nez avec mon pouce ;
Je ne me ferai plus griffer par le minet.
Mais on s'est récrié : — Cette enfant vous connaît ;
Elle sait à quel point vous êtes faible et lâche.

Elle vous voit toujours rire quand on se fâche.
Pas de gouvernement possible. À chaque instant
L'ordre est troublé par vous ; le pouvoir se détend ;
Plus de règle. L'enfant n'a plus rien qui l'arrête.
Vous démolissez tout. – Et j'ai baissé la tête,
Et j'ai dit : – Je n'ai rien à répondre à cela,
J'ai tort. Oui, c'est avec ces indulgences-là
Qu'on a toujours conduit les peuples à leur perte.
Qu'on me mette au pain sec. — Vous le méritez,
                                                    [certes,
On vous y mettra. – Jeanne alors, dans son coin noir,
M'a dit tout bas, levant ses yeux si beaux à voir,
Pleins de l'autorité des douces créatures :
— Eh bien, moi, je t'irai porter des confitures.

21 octobre 1876
L'art d'être grand-père

Choses du soir

Le brouillard est froid, la bruyère est grise ;
Les troupeaux de bœufs vont aux abreuvoirs ;
La lune, sortant des nuages noirs,
Semble une clarté qui vient par surprise.

Je ne sais plus quand, je ne sais plus où,
Maître Yvon soufflait dans son biniou.

Le voyageur marche et la lande est brune ;
Une ombre est derrière, une ombre est devant ;
Blancheur au couchant, lueur au levant ;
Ici crépuscule, et là clair de lune.

Je ne sais plus quand, je ne sais plus où,
Maître Yvon soufflait dans son biniou.

La sorcière assise allonge sa lippe ;
L'araignée accroche au toit son filet ;
Le lutin reluit dans le feu follet
Comme un pistil d'or dans une tulipe.

Je ne sais plus quand, je ne sais plus où,
Maître Yvon soufflait dans son biniou.

On voit sur la mer des chasse-marées ;
Le naufrage guette un mât frissonnant ;
Le vent dit : demain ! l'eau dit : maintenant !
Les voix qu'on entend sont désespérées.

Je ne sais plus quand, je ne sais plus où,
Maître Yvon soufflait dans son biniou.

Le coche qui va d'Avranche à Fougère
Fait claquer son fouet comme un vif éclair ;
Voici le moment où flottent dans l'air
Tous ces bruits confus que l'ombre exagère.

Je ne sais plus quand, je ne sais plus où,
Maître Yvon soufflait dans son biniou.

Dans les bois profonds brillent des flambées ;
Un vieux cimetière est sur un sommet ;
Où Dieu trouve-t-il tout ce noir qu'il met
Dans les cœurs brisés et les nuits tombées ?

Je ne sais plus quand, je ne sais plus où,
Maître Yvon soufflait dans son biniou.

Des flaques d'argent tremblent sur les sables ;
L'orfraie est au bord des talus crayeux ;
Le pâtre, à travers le vent, suit des yeux
Le vol monstrueux et vague des diables.

Je ne sais plus quand, je ne sais plus où,
Maître Yvon soufflait dans son biniou.

Un panache gris sort des cheminées ;
Le bûcheron passe avec son fardeau ;
On entend, parmi le bruit des cours d'eau,
Des frémissements de branches traînées.

Je ne sais plus quand, je ne sais plus où,
Maître Yvon soufflait dans son biniou.

La faim fait rêver les grands loups moroses ;
La rivière court, le nuage fuit ;
Derrière la vitre où la lampe luit,
Les petits enfants ont des têtes roses.

Je ne sais plus quand, je ne sais plus où,
Maître Yvon soufflait dans son biniou.

L'art d'être grand-père

Je prendrai par la main
les deux petits enfants

Je prendrai par la main les deux petits enfants ;
J'aime les bois où sont les chevreuils et les faons,
Où les cerfs tachetés suivent les biches blanches
Et se dressent dans l'ombre effrayés par les branches ;
Car les fauves sont pleins d'une telle vapeur
Que le frais tremblement des feuilles leur fait peur.
Les arbres ont cela de profond qu'ils vous montrent
Que l'éden seul est vrai, que les cœurs s'y
                                        [rencontrent,
Et que, hors les amours et les nids, tout est vain ;
Théocrite souvent dans le hallier divin
Crut entendre marcher doucement la ménade.
C'est là que je ferai ma lente promenade
Avec les deux marmots. J'entendrai tour à tour

Ce que Georges conseille à Jeanne, doux amour,
Et ce que Jeanne enseigne à George. En patriarche
Que mènent les enfants, je réglerai ma marche
Sur le temps que prendront leurs jeux et leurs repas,
Et sur la petitesse aimable de leurs pas.
Ils cueilleront des fleurs, ils mangeront des mûres.
Ô vaste apaisement des forêts ! ô murmures !
Avril vient calmer tout, venant tout embaumer.
Je n'ai point d'autre affaire ici-bas que d'aimer.

L'art d'être grand-père

Chanson pour faire danser
en rond les petits enfants

Grand bal sous le tamarin.
On danse et l'on tambourine.
Tout bas parlent, sans chagrin,
 Mathurin à Mathurine,
 Mathurine à Mathurin.

C'est le soir, quel joyeux train !
Chantons à pleine poitrine
Au bal plutôt qu'au lutrin.
 Mathurin a Mathurine,
 Mathurine a Mathurin.

Découpe comme au burin,
L'arbre, au bord de l'eau marine,
Est noir sur le ciel serein.
 Mathurin a Mathurine,
 Mathurine a Mathurin.

Dans le bois rôde Isengrin.
Le magister endoctrine

Un moineau pillant le grain.
  Mathurin a Mathurine,
  Mathurine a Mathurin.

Broutant l'herbe brin à brin,
  Le lièvre a dans la narine
  L'appétit du romarin.
  Mathurin a Mathurine,
  Mathurine a Mathurin.

Sous l'ormeau le pèlerin
  Demande à la pèlerine
Un baiser pour un quatrain.
  Mathurin a Mathurine,
  Mathurine a Mathurin.

Derrière un pli de terrain,
  Nous entendons la clarine
  Du cheval d'un voiturin.
  Mathurin a Mathurine,
  Mathurine a Mathurin.

L'art d'être grand-père

Fêtes de village en plein air

Le bal champêtre est sous la tente.
On prend en vain des airs moqueurs ;
Toute une musique flottante
Passe des oreilles aux cœurs.

On entre, on fait cette débauche
De voir danser en plein midi
Près d'une Madelon point gauche
Un Gros-Pierre point engourdi.

On regarde les marrons frire ;
La bière mousse, et les plateaux
Offrent aux dents pleines de rire
Des mosaïques de gâteaux.

Le soir on va dîner sur l'herbe ;
On est gai, content, berger, roi,
Et, sans savoir comment, superbe,
Et tendre, sans savoir pourquoi.

Feuilles vertes et nappes blanches ;
Le couchant met le bois en feu ;
La joie ouvre ses ailes franches :
Comme le ciel immense est bleu !

Les Chansons des rues et des bois

Les Djinns

Murs, ville,
Et port,
Asile
De mort,
Mer grise
Où brise
La brise,
Tout dort.

Dans la plaine
Naît un bruit.
C'est l'haleine
De la nuit.
Elle brame
Comme une âme

Qu'une flamme
Toujours suit.

La voix plus haute
Semble un grelot.
D'un nain qui saute
C'est le galop.
Il fuit, s'élance,
Puis en cadence
Sur un pied danse
Au bout d'un flot.

La rumeur approche.
L'écho la redit.
C'est comme la cloche
D'un couvent maudit ;
Comme un bruit de foule,
Qui tonne et qui roule,
Et tantôt s'écroule,
Et tantôt grandit,

Dieu ! la voix sépulcrale
Des Djinns !... — Quel bruit ils font !
Fuyons sous la spirale
De l'escalier profond.
Déjà s'éteint ma lampe,
Et l'ombre de la rampe,
Qui le long du mur rampe,
Monte jusqu'au plafond.

C'est l'essaim des Djinns qui passe,
Et tourbillonne en sifflant !
Les ifs, que leur vol fracasse,
Craquent comme un pin brûlant.
Leur troupeau, lourd et rapide,
Volant dans l'espace vide,
Semble un nuage livide
Qui porte un éclair au flanc.

Ils sont tout près ! — Tenons fermée
Cette salle où nous les narguons.
Quel bruit dehors ! Hideuse armée
De vampires et de dragons !
La poutre du toit descellée
Ploie ainsi qu'une herbe mouillée,
Et la vieille porte rouillée
Tremble, à déraciner ses gonds !

Cris de l'enfer ! voix qui hurle et qui pleure !
L'horrible essaim, poussé par l'aquilon,
Sans doute, ô ciel ! s'abat sur ma demeure.
Le mur fléchit sous le noir bataillon.
La maison crie et chancelle penchée,
Et l'on dirait que, du sol arrachée,
Ainsi qu'il chasse une feuille séchée,
Le vent la roule avec leur tourbillon !

Prophète ! si ta main me sauve
De ces impurs démons des soirs,
J'irai prosterner mon front chauve
Devant tes sacrés encensoirs !
Fais que sur ces portes fidèles
Meure leur souffle d'étincelles,
Et qu'en vain l'ongle de leurs ailes
Grince et crie à ces vitraux noirs !

Ils sont passés ! — Leur cohorte
S'envole, et fuit, et leurs pieds
Cessent de battre ma porte
De leurs coups multipliés.
L'air est plein d'un bruit de chaînes,
Et dans les forêts prochaines
Frissonnent tous les grands chênes,
Sous leur vol de feu pliés !

De leurs ailes lointaines
Le battement décroît,

Si confus dans les plaines,
Si faible, que l'on croit
Ouïr la sauterelle
Crier d'une voix grêle,
Ou pétiller la grêle
Sur le plomb d'un vieux toit.

D'étranges syllabes
Nous viennent encor ;
Ainsi, des Arabes
Quand sonne le cor,
Un chant sur la grève
Par instants s'élève,
Et l'enfant qui rêve
Fait des rêves d'or.

Les Djinns funèbres,
Fils du trépas,
Dans les ténèbres
Pressent leurs pas ;
Leur essaim gronde :
Ainsi, profonde,
Murmure une onde
Qu'on ne voit pas.

Ce bruit vague
Qui s'endort,
C'est la vague
Sur le bord ;
C'est la plainte,
Presque éteinte,
D'une sainte
Pour un mort.

On doute
La nuit...
J'écoute : –
Tout fuit,

Tout passe
L'espace
Efface
Le bruit.

Les Orientales

❧ • ❧

Je suis enragé. J'aime

Je suis enragé. J'aime et je suis un vieux fou.
— Grand-père ? — Quoi ? — je veux m'en aller.
[— Aller où ?
— Où je voudrai. — C'est bien. — Je veux sortir,
[grand-père.
— Sortons. — Grand-père ? — Quoi ?
[— Pleuvra-t-il ? — Non, j'espère.
Je veux qu'il pleuve, moi. — Pourquoi ? — Pour faire
[un peu
Pousser mon haricot dans mon jardin. — C'est Dieu
Qui fait la pluie. — Eh bien, je veux que Dieu la
[fasse.
— Tu veux ! tu veux ! — Grand-père ? — Eh bien
[quoi ? — Si je casse
Mon joujou, le bon Dieu ne peut pas m'empêcher.
C'est donc moi le plus fort. — Parlons sans nous
[fâcher.
— Je ne me fâche pas. je veux qu'il pleuve. — Écoute.
Je te donne raison. — Il va pleuvoir ? — Sans doute.
Viens, prenons l'arrosoir du jardinier jacquot,
Et nous ferons pleuvoir. — Où ? — Sur ton haricot.

Toute la lyre

Félix Arvers
(1806 – 1850)

Un secret

Sonnet

Mon âme a son secret, ma vie a son mystère
Un amour éternel en un moment conçu :
Le mal est sans espoir, aussi j'ai dû le taire,
Et celle qui l'a fait n'en a jamais rien su.

Hélas ! j'aurai passé près d'elle inaperçu,
Toujours à ses côtés et pourtant solitaire ;
Et j'aurai jusqu'au bout fait mon temps sur la terre,
N'osant rien demander et n'ayant rien reçu.

Pour elle, quoique Dieu l'ait faite douce et tendre,
Elle suit son chemin, distraite et sans entendre
Ce murmure d'amour élevé sur ses pas.

À l'austère devoir pieusement fidèle,
Elle dira, lisant ces vers tout remplis d'elle :
« Quelle est donc cette femme ? » Et ne comprendra
                                                    [pas !

Mes heures perdues

Aloysius Bertrand
(1807 – 1841)

Les cinq doigts de la main

Le pouce est ce gras cabaretier flamand, d'humeur goguenarde et grivoise, qui fume sur sa porte, à l'enseigne de la double bière de mars.

L'index est sa femme, virago sèche comme une merluche, qui, dès le matin, soufflette sa servante dont elle est jalouse, et caresse la bouteille dont elle est amoureuse.

Le doigt du milieu est leur fils, compagnon dégrossi à la hache, qui serait soldat s'il n'était brasseur, et qui serait cheval s'il n'était homme.

Le doigt de l'anneau est leur fille, leste et agaçante Zerbine, qui vend des dentelles aux dames et ne vend pas ses sourires aux cavaliers.

Et le doigt de l'oreille est le Benjamin de la famille, marmot pleureur, qui toujours se brimbale à la ceinture de sa mère comme un petit enfant pendu au croc d'une ogresse.

Les cinq doigts de la main sont la plus mirobolante giroflée à cinq feuilles qui ait jamais brodé les parterres de la noble cité de Harlem.

Gaspard de la nuit

Le soir sur l'eau

La noire gondole se glissait le long des palais de marbre, comme un bravo qui court à quelque aventure de nuit, un stylet et une lanterne sous sa cape.

Un cavalier et une dame y causaient d'amour : — « Les orangers si parfumés, et vous si indifférente ! Ah ! signora, vous êtes une statue dans un jardin !

— Ce baiser est-il d'une statue, mon Georgio ? pourquoi boudez-vous ? — Vous m'aimez donc ? — Il n'est pas au ciel une étoile qui ne le sache et tu ne le sais pas ?

— Quel est ce bruit ? — Rien, sans doute le clapotement des flots qui monte et descend une marche des escaliers de la Giudecca.

— Au secours ! au secours ! — Ah ! mère du Sauveur, quelqu'un qui se noie ! — Écartez-vous ; il est confessé », dit un moine qui parut sur la terrasse.

Et la noire gondole força de rames, se glissant le long des palais de marbre comme un bravo qui revient de quelque aventure de nuit, un stylet et une lanterne sous sa cape.

Gaspard de la nuit

Le fou

La lune peignait ses cheveux avec un démêloir d'ébène qui argentait d'une pluie de vers luisants les collines, les prés et les bois.

Scarbo, gnome dont les trésors foisonnent, vannait sur mon toit, au cri de la girouette, ducats et florins qui sautaient en cadence, les pièces fausses jonchant la rue.

Comme ricana le fou qui vague, chaque nuit, par la cité déserte, un œil à la lune et l'autre – crevé !

— « Foin de la lune ! grommela-t-il, ramassant les jetons du diable, j'achèterai le pilori pour m'y chauffer au soleil ! »

Mais c'était toujours la lune, la lune qui se couchait. – Et Scarbo monnayait sourdement dans ma cave ducats et florins à coups de balancier.

Tandis que, les deux cornes en avant, un limaçon qu'avait égaré la nuit, cherchait sa route sur mes vitraux lumineux.

Gaspard de la nuit

Gérard de Nerval
(1808 – 1855)

Avril

Déjà les beaux jours, – la poussière,
Un ciel d'azur et de lumière,
Les murs enflammés, les longs soirs ; –
Et rien de vert : – à peine encore
Un reflet rougeâtre décore
Les grands arbres aux rameaux noirs !

Ce beau temps me pèse et m'ennuie.
— Ce n'est qu'après des jours de pluie
Que doit surgir, en un tableau,
Le printemps verdissant et rose,
Comme une nymphe fraîche éclose
Qui, souriante, sort de l'eau.

Odelettes

Une allée du Luxembourg

Elle a passé, la jeune fille
Vive et preste comme un oiseau
À la main une fleur qui brille,
À la bouche un refrain nouveau.

C'est peut-être la seule au monde
Dont le cœur au mien répondrait,
Qui venant dans ma nuit profonde
D'un seul regard l'éclaircirait !

Mais non, – ma jeunesse est finie …
Adieu, doux rayon qui m'as lui, –
Parfum, jeune fille, harmonie…
Le bonheur passait, – il a fui !

Odelettes

La grand'mère

Voici trois ans qu'est morte ma grand'mère,
La bonne femme, – et, quand on l'enterra,
Parents, amis, tout le monde pleura
D'une douleur bien vraie et bien amère.

Moi seul j'errais dans la maison, surpris
Plus que chagrin ; et, comme j'étais proche
De son cercueil, – quelqu'un me fit reproche
De voir cela sans larmes et sans cris.

Douleur bruyante est bien vite passée :
Depuis trois ans, d'autres émotions,
Des biens, des maux, – des révolutions, –
Ont dans les murs sa mémoire effacée.

Moi seul j'y songe, et la pleure souvent ;
Depuis trois ans, par le temps prenant force,
Ainsi qu'un nom gravé dans une écorce,
Son souvenir se creuse plus avant !

Odelettes

Chanson gothique

Belle épousée,
J'aime tes pleurs !
C'est la rosée
Qui sied aux fleurs.

Les belles choses
N'ont qu'un printemps,
Semons de roses
Les pas du Temps !

Soit brune ou blonde
Faut-il choisir ?
Le Dieu du monde,
C'est le Plaisir.

Odelettes

Le roi de Thulé

Il était un roi de Thulé
À qui son amante fidèle
Légua, comme souvenir d'elle,
Une coupe d'or ciselé.

C'était un trésor plein de charmes
Où son amour se conservait :
À chaque fois qu'il y buvait
Ses yeux se remplissaient de larmes.

Voyant ses derniers jours venir,
Il divisa son héritage,
Mais il excepta du partage
La coupe, son cher souvenir.

Il fit à la table royale
Asseoir les barons dans sa tour ;
Debout et rangée alentour,
Brillait sa noblesse loyale.

Sous le balcon grondait la mer.
Le vieux roi se lève en silence,
Il boit, – frissonne, et sa main lance
La coupe d'or au flot amer !

Il la vit tourner dans l'eau noire,
La vague en s'ouvrant fit un pli,
Le roi pencha son front pâli...
Jamais on ne le vit plus boire.

Odelettes

Chanson de Han d'Islande

Lorsque dans nos vertes campagnes
La nuit
Descend du sommet des montagnes
Sans bruit...
Malheur à toi qui dans nos plaines
Poursuis un voyage imprudent...
Entends-tu des forêts lointaines
Sortir un long rugissement ?....
C'est Han !
C'est Han !

C'est Han d'Islande...
Han ! Han ! Han ! Han !

Cet homme qui recèle une âme
De fer
Et dont les yeux lancent la flamme
D'enfer ;
Au fond de son antre sauvage
Courbé sur un corps palpitant,
Ce monstre qui repaît sa rage
De cris, de larmes et de sang...
C'est Han !
C'est Han !
C'est Han d'Islande...
Han ! Han ! Han ! Han !

Quand parfois au sein de la danse
Des jeux,
Tout à coup un homme s'élance...
Hideux !

Si l'on ne peut le reconnaître
Si de sa voix le sombre accent
Ajoute à l'effroi que fait naître
Son regard fixe et dévorant...
C'est Han !
C'est Han !
C'est Han d'Islande...
Han ! Han ! Han ! Han !

Poésies diverses

Épitaphe

Il a vécu tantôt gai comme un sansonnet,
Tour à tour amoureux insoucieux et tendre,
Tantôt sombre et rêveur comme un triste Clitandre.
Un jour il entendit qu'à sa porte on sonnait.

C'était la Mort ! Alors il la pria d'attendre
Qu'il eût posé le point à son dernier sonnet ;
Et puis sans s'émouvoir, il s'en alla s'étendre
Au fond du coffre froid où son corps frissonnait.

Il était paresseux, à ce que dit l'histoire,
Il laissait trop sécher l'encre dans l'écritoire.
Il voulait tout savoir mais il n'a rien connu.

Et quand vint le moment où, las de cette vie,
Un soir d'hiver, enfin l'âme lui fut ravie,
Il s'en alla disant : « Pourquoi suis-je venu ? »

Poésies diverses

Alfred de Musset
(1810 – 1857)

Ballade à la Lune

C'était, dans la nuit brune,
Sur le clocher jauni,
La lune
Comme un point sur un i.

Lune, quel esprit sombre
Promène au bout d'un fil,
Dans l'ombre,
Ta face et ton profil ?

Es-tu l'œil du ciel borgne ?
Quel chérubin cafard
Nous lorgne
Sous ton masque blafard ?

N'es-tu rien qu'une boule,
Qu'un grand faucheux bien gras
Qui roule
Sans pattes et sans bras ?

Es-tu, je t'en soupçonne,
Le vieux cadran de fer
Qui sonne
L'heure aux damnés d'enfer ?

Sur ton front qui voyage.
Ce soir ont-ils compté
Quel âge
A leur éternité ?

Est-ce un ver qui te ronge
Quand ton disque noirci
S'allonge
En croissant rétréci ?

Qui t'avait éborgnée,
L'autre nuit ? T'étais-tu
Cognée
À quelque arbre pointu ?

Car tu vins, pâle et morne
Coller sur mes carreaux
Ta corne
À travers les barreaux.

Va, lune moribonde,
Le beau corps de Phébé
La blonde
Dans la mer est tombé.

Tu n'en es que la face
Et déjà, tout ridé,
S'efface
Ton front dépossédé.

Rends-nous la chasseresse,
Blanche, au sein virginal,
Qui presse
Quelque cerf matinal !

Oh ! sous le vert platane
Sous les frais coudriers,
Diane,
Et ses grands lévriers !

Le chevreau noir qui doute,
Pendu sur un rocher,
L'écoute,
L'écoute s'approcher.

Et, suivant leurs curées,
Par les vaux, par les blés,
Les prés,
Ses chiens s'en sont allés.

Oh ! le soir, dans la brise,
Phœbé, sœur d'Apollo,
Surprise
À l'ombre, un pied dans l'eau !

Phœbé qui, la nuit close,
Aux lèvres d'un berger
Se pose,
Comme un oiseau léger.

Lune, en notre mémoire,
De tes belles amours
L'histoire
T'embellira toujours.

Et toujours rajeunie,
Tu seras du passant
Bénie,
Pleine lune ou croissant.

T'aimera le vieux pâtre,
Seul, tandis qu'à ton front
D'albâtre
Ses dogues aboieront.

T'aimera le pilote
Dans son grand bâtiment,
Qui flotte,
Sous le clair firmament !

Et la fillette preste
Qui passe le buisson,
Pied leste,
En chantant sa chanson.

Comme un ours à la chaîne,
Toujours sous tes yeux bleus
Se traîne
L'océan montueux.

Et qu'il vente ou qu'il neige
Moi-même, chaque soir,
Que fais-je,
Venant ici m'asseoir ?

Je viens voir à la brune,
Sur le clocher jauni,
La lune
Comme un point sur un i.

Peut-être quand déchante
Quelque pauvre mari,
Méchante,
De loin tu lui souris.

Dans sa douleur amère,
Quand au gendre béni
La mère
Livre la clef du nid,

Le pied dans sa pantoufle,
Voilà l'époux tout prêt
Qui souffle
Le bougeoir indiscret.

Au pudique hyménée
La vierge qui se croit
Menée,
Grelotte en son lit froid,

Mais monsieur tout en flamme
Commence à rudoyer
Madame,
Qui commence à crier.

« Ouf ! dit-il, je travaille,
Ma bonne, et ne fais rien
Qui vaille ;
Tu ne te tiens pas bien. »

Et vite il se dépêche.
Mais quel démon caché
L'empêche
De commettre un péché ?

« Ah ! dit-il, prenons garde.
Quel témoin curieux
Regarde
Avec ces deux grands yeux ? »

Et c'est, dans la nuit brune,
Sur son clocher jauni,
La lune
Comme un point sur un i.

Premières poésies

Venise

Dans Venise la rouge,
Pas un bateau qui bouge,
Pas un pêcheur dans l'eau,
Pas un falot.

Seul, assis à la grève,
Le grand lion soulève,
Sur l'horizon serein,
Son pied d'airain.

Autour de lui, par groupes,
Navires et chaloupes,
Pareils à des hérons
Couchés en ronds,

Dorment sur l'eau qui fume,
Et croisent dans la brume,
En légers tourbillons,
Leurs pavillons.

La lune qui s'efface
Couvre son front qui passe
D'un nuage étoilé
Demi-voilé.

Ainsi, la dame abbesse
De Sainte-Croix rabaisse
Sa cape aux larges plis
Sur son surplis.

Et les palais antiques,
Et les graves portiques,
Et les blancs escaliers
Des chevaliers,

Et les ponts, et les rues,
Et les mornes statues,
Et le golfe mouvant
Qui tremble au vent,

Tout se tait, fors les gardes
Aux longues hallebardes,
Qui veillent aux créneaux
Des arsenaux.

Ah ! maintenant plus d'une
Attend, au clair de lune,
Quelque jeune muguet,
L'oreille au guet.

Pour le bal qu'on prépare,
Plus d'une qui se pare,
Met devant son miroir
Le masque noir.

Sur sa couche embaumée,
La Vanina pâmée
Presse encor son amant,
En s'endormant ;

Et Narcissa, la folle,
Au fond de sa gondole,
S'oublie en un festin
Jusqu'au matin.

Et qui, dans l'Italie,
N'a son grain de folie ?
Qui ne garde aux amours
Ses plus beaux jours ?

Laissons la vieille horloge,
Au palais du vieux doge,
Lui compter de ses nuits
Les longs ennuis.

Comptons plutôt, ma belle,
Sur ta bouche rebelle
Tant de baisers donnés…
Ou pardonnés.

Comptons plutôt tes charmes,
Comptons les douces larmes,

Qu'à nos yeux a coûté
La volupté !

Premières poésies

Le rideau de ma voisine…

Imité de Goethe.

Le rideau de ma voisine
    Se soulève lentement.
        Elle va, je l'imagine,
            Prendre l'air un moment.

On entr'ouvre la fenêtre :
    Je sens mon cœur palpiter.
        Elle veut savoir peut-être
            Si je suis à guetter.

Mais, hélas ! ce n'est qu'un rêve ;
    Ma voisine aime un lourdaud,
        Et c'est le vent qui soulève
            Le coin de son rideau.

Poésies nouvelles

Chanson de Fortunio

Si vous croyez que je vais dire
        Qui j'ose aimer,
Je ne saurais, pour un empire,
        Vous la nommer.

Nous allons chanter à la ronde,
    Si vous voulez,
Que je l'adore et qu'elle est blonde
    Comme les blés.

Je fais ce que sa fantaisie
    Veut m'ordonner,
Et je puis, s'il lui faut ma vie,
    La lui donner.

Du mal qu'une amour ignorée
    Nous fait souffrir,
J'en porte l'âme déchirée
    Jusqu'à mourir.

Mais j'aime trop pour que je die
    Qui j'ose aimer,
Et je veux mourir pour ma mie
    Sans la nommer.

Poésies nouvelles

Fut-il jamais douceur de cœur pareille...

Rondeau

Fut-il jamais douceur de cœur pareille
À voir Manon dans mes bras sommeiller ?
Son front coquet parfume l'oreiller ;
Dans son beau sein j'entends son cœur qui veille.
Un songe passe, et s'en vient l'égayer.

Ainsi s'endort une fleur d'églantier,
Dans son calice enfermant une abeille.

Moi, je la berce ; un plus charmant métier
        Fut-il jamais ?

Mais le jour vient, et l'Aurore vermeille
Effeuille au vent son bouquet printanier.
Le peigne en main et la perle à l'oreille,
À son miroir Manon court m'oublier.
Hélas ! l'amour sans lendemain ni veille
        Fut-il jamais ?

Poésies nouvelles

Chanson de Barberine

Beau chevalier qui partez pour la guerre,
        Qu'allez-vous faire
        Si loin d'ici ?
Voyez-vous pas que la nuit est profonde,
        Et que le monde
        N'est que souci ?

Vous qui croyez qu'une amour délaissée
        De la pensée
        S'enfuit ainsi,
Hélas ! hélas ! chercheurs de renommée,
        Votre fumée
        S'envole aussi.

Beau chevalier qui partez pour la guerre,
        Qu'allez-vous faire
        Si loin de nous ?
J'en vais pleurer, moi qui me laissais dire

Que mon sourire
Était si doux.

Poésies nouvelles

❧ • ☙

Dans dix ans...

Rondeau

À Madame G.

Dans dix ans d'ici seulement,
Vous serez un peu moins cruelle.
C'est long, à parler franchement.
L'amour viendra probablement
Donner à l'horloge un coup d'aile.

Votre beauté nous ensorcelle,
Prenez-y garde cependant :
On apprend plus d'une nouvelle
        En dix ans.

Quand ce temps viendra, d'un amant
Je serai le parfait modèle,
Trop bête pour être inconstant,
Et trop laid pour être infidèle.
Mais vous serez encor trop belle
        En dix ans.

Poésies nouvelles

❧ • ☙

Tristesse

J'ai perdu ma force et ma vie,
Et mes amis et ma gaieté ;
J'ai perdu jusqu'à la fierté
Qui faisait croire à mon génie.

Quand j'ai connu la Vérité,
J'ai cru que c'était une amie ;
Quand je l'ai comprise et sentie,
J'en étais déjà dégoûté.

Et pourtant elle est éternelle,
Et ceux qui se sont passés d'elle
Ici-bas ont tout ignoré.

Dieu parle, il faut qu'on lui réponde.
Le seul bien qui me reste au monde
Est d'avoir quelquefois pleuré.

Poésies nouvelles

Lucie

Élégie

Mes chers amis, quand je mourrai,
Plantez un saule au cimetière.
J'aime son feuillage éploré ;
La pâleur m'en est douce et chère,
Et son ombre sera légère
À la terre où je dormirai.

(Première strophe)
Poésies nouvelles

Théophile Gautier
(1811 – 1872)

Premier sourire du printemps

Tandis qu'à leurs œuvres perverses
Les hommes courent haletants,
Mars qui rit, malgré les averses,
Prépare en secret le printemps.

Pour les petites pâquerettes,
Sournoisement lorsque tout dort,
Il repasse des collerettes
Et cisèle des boutons d'or.

Dans le verger et dans la vigne,
Il s'en va, furtif perruquier,
Avec une houppe de cygne,
Poudrer à frimas l'amandier.

La nature au lit se repose ;
Lui descend au jardin désert,
Et lace les boutons de rose
Dans leur corset de velours vert.

Tout en composant des solfèges,
Qu'aux merles il siffle à mi-voix,
Il sème aux prés les perce-neiges
Et les violettes aux bois.

Sur le cresson de la fontaine
Où le cerf boit, l'oreille au guet,

De sa main cachée il égrène
Les grelots d'argent du muguet.

Sous l'herbe, pour que tu la cueilles,
Il met la fraise au teint vermeil,
Et te tresse un chapeau de feuilles
Pour te garantir du soleil.

Puis, lorsque sa besogne est faite,
Et que son règne va finir,
Au seuil d'avril tournant la tête,
Il dit : « Printemps, tu peux venir ! »

Émaux et Camées

Variations sur le Carnaval de Venise

Carnaval

Venise pour le bal s'habille.
De paillettes tout étoilé,
Scintille, fourmille et babille
Le carnaval bariolé.

Arlequin, nègre par son masque,
Serpent par ses mille couleurs,
Rosse d'une note fantasque
Cassandre son souffre-douleurs.

Battant de l'aile avec sa manche
Comme un pingouin sur un écueil,
Le blanc Pierrot, par une blanche,
Passe la tête et cligne l'œil.

Le Docteur bolonais rabâche
Avec la basse aux sons traînés ;

Polichinelle, qui se fâche,
Se trouve une croche pour nez.

Heurtant Trivelin qui se mouche
Avec un trille extravagant,
À Colombine Scaramouche
Rend son éventail ou son gant.

Sur une cadence se glisse
Un domino ne laissant voir
Qu'un malin regard en coulisse
Aux paupières de satin noir.

Ah ! fine barbe de dentelle,
Que fait voler un souffle pur,
Cet arpège m'a dit : C'est elle !
Malgré tes réseaux, j'en suis sûr,

Et j'ai reconnu, rose et fraîche,
Sous l'affreux profil de carton,
Sa lèvre au fin duvet de pêche,
Et la mouche de son menton.

Émaux et Camées

Le pin des Landes

On ne voit en passant par les Landes désertes,
Vrai Sahara français, poudré de sable blanc,
Surgir de l'herbe sèche et des flaques d'eaux vertes
D'autre arbre que le pin avec sa plaie au flanc ;

Car, pour lui dérober ses larmes de résine,
L'homme, avare bourreau de la création,
Qui ne vit qu'aux dépens de ce qu'il assassine,
Dans son tronc douloureux ouvre un large sillon !

Sans regretter son sang qui coule goutte à goutte,
Le pin verse son baume et sa sève qui bout,
Et se tient toujours droit sur le bord de la route,
Comme un soldat blessé qui veut mourir debout.

Le poète est ainsi dans les Landes du monde ;
Lorsqu'il est sans blessure, il garde son trésor.
Il faut qu'il ait au cœur une entaille profonde
Pour épancher ses vers, divines larmes d'or !

España

La Tulipe

Moi, je suis la tulipe, une fleur de Hollande ;
Et telle est ma beauté, que l'avare Flamand
Paye un de mes oignons plus cher qu'un diamant,
Si mes fonds sont bien purs, si je suis droite et

[grande.

Mon air est féodal, et, comme une Yolande
Dans sa jupe à longs plis étoffée amplement,
Je porte des blasons peints sur mon vêtement,
Gueules fascé d'argent, or avec pourpre en bande.

Le jardinier divin a filé de ses doigts
Les rayons du soleil et la pourpre des rois
Pour me faire une robe à trame douce et fine.

Nulle fleur du jardin n'égale ma splendeur,
Mais la nature, hélas ! n'a pas versé d'odeur
Dans mon calice fait comme un vase de Chine.

Poésies nouvelles et inédites

Charles-Marie Leconte de Lisle
(1818 – 1894)

Le rêve du jaguar

Sous les noirs acajous, les lianes en fleur,
Dans l'air lourd, immobile et saturé de mouches,
Pendent, et, s'enroulant en bas parmi les souches,
Bercent le perroquet splendide et querelleur,
L'araignée au dos jaune et les singes farouches.
C'est là que le tueur de bœufs et de chevaux,
Le long des vieux troncs morts à l'écorce moussue,
Sinistre et fatigué, revient à pas égaux.
Il va, frottant ses reins musculeux qu'il bossue ;
Et, du mufle béant par la soif alourdi,
Un souffle rauque et bref, d'une brusque secousse,
Trouble les grands lézards, chauds des feux de midi,
Dont la fuite étincelle à travers l'herbe rousse.
En un creux du bois sombre interdit au soleil
Il s'affaisse, allongé sur quelque roche plate ;
D'un large coup de langue il se lustre la patte ;
Il cligne ses yeux d'or hébétés de sommeil ;
Et, dans l'illusion de ses forces inertes,
Faisant mouvoir sa queue et frissonner ses flancs,
Il rêve qu'au milieu des plantations vertes,
Il enfonce d'un bond ses ongles ruisselants
Dans la chair des taureaux effarés et beuglants.

Poèmes barbares

❧ • ❧

Le combat homérique

De même qu'au soleil l'horrible essaim des mouches
Des taureaux égorgés couvre les cuirs velus,
Un tourbillon guerrier de peuples chevelus,
Hors des nefs, s'épaissit, plein de clameurs farouches.

Tout roule et se confond, souffle rauque des bouches,
Bruit des coups, les vivants et ceux qui ne sont plus,
Chars vides, étalons cabrés, flux et reflux
Des boucliers d'airain hérissés d'éclairs louches.

Les reptiles tordus au front, les yeux ardents,
L'aboyeuse Gorgô vole et grince des dents
Par la plaine où le sang exhale ses buées.

Zeus, sur le Pavé d'or, se lève, furieux,
Et voici que la troupe héroïque des Dieux
Bondit dans le combat du faîte des nuées.

Poèmes barbares

Nell

Ta rose de pourpre, à ton clair soleil,
Ô Juin, étincelle enivrée ;
Penche aussi vers moi ta coupe dorée :
Mon cœur à ta rose est pareil.

Sous le mol abri de la feuille ombreuse
Monte un soupir de volupté ;
Plus d'un ramier chante au bois écarté,
Ô mon cœur, sa plainte amoureuse.

Que ta perle est douce au ciel parfumé,
Étoile de la nuit pensive !
Mais combien plus douce est la clarté vive
Qui rayonne en mon cœur charmé !

La chantante mer, le long du rivage,
Taira son murmure éternel,
Avant qu'en mon cœur, chère amour, ô Nell,
Ne fleurisse plus ton image !

Chansons écossaises

L'albatros

Dans l'immense largeur du Capricorne au Pôle
Le vent beugle, rugit, siffle, râle et miaule,
Et bondit à travers l'Atlantique tout blanc
De bave furieuse. Il se rue, éraflant
L'eau blême qu'il pourchasse et dissipe en buées ;
Il mord, déchire, arrache et tranche les nuées
Par tronçons convulsifs où saigne un brusque éclair ;
Il saisit, enveloppe et culbute dans l'air
Un tournoiement confus d'aigres cris et de plumes
Qu'il secoue et qu'il traîne aux crêtes des écumes,
Et, martelant le front massif des cachalots,
Mêle à ses hurlements leurs monstrueux sanglots.
Seul, le Roi de l'espace et des mers sans rivages
Vole contre l'assaut des rafales sauvages.
D'un trait puissant et sûr, sans hâte ni retard,
L'œil dardé par delà le livide brouillard,
De ses ailes de fer rigidement tendues
Il fend le tourbillon des rauques étendues,

Et, tranquille au milieu de l'épouvantement,
Vient, passe, et disparaît majestueusement.

Poèmes tragiques

Charles Baudelaire
(1821 – 1867)

Correspondances

La Nature est un temple où de vivants piliers
Laissent parfois sortir de confuses paroles ;
L'homme y passe à travers des forêts de symboles
Qui l'observent avec des regards familiers.

Comme de longs échos qui de loin se confondent
Dans une ténébreuse et profonde unité,
Vaste comme la nuit et comme la clarté,
Les parfums, les couleurs et les sons se répondent.

Il est des parfums frais comme des chairs d'enfants,
Doux comme les hautbois, verts comme les prairies,
— Et d'autres, corrompus, riches et triomphants,

Ayant l'expansion des choses infinies,
Comme l'ambre, le musc, le benjoin et l'encens,
Qui chantent les transports de l'esprit et des sens.

Les Fleurs du mal

La musique

La musique souvent me prend comme une mer !
     Vers ma pâle étoile,
Sous un plafond de brume ou dans un vaste éther,
     Je mets à la voile !

La poitrine en avant et les poumons gonflés
     Comme de la toile,
J'escalade le dos des flots amoncelés
     Que la nuit me voile ;

Je sens vibrer en moi toutes les passions
     D'un vaisseau qui souffre ;
Le bon vent, la tempête et ses convulsions

     Sur l'immense gouffre
Me bercent. D'autres fois, calme plat, grand miroir
     De mon désespoir !

Les Fleurs du mal

Harmonie du soir

Voici venir les temps où vibrant sur sa tige
Chaque fleur s'évapore ainsi qu'un encensoir ;
Les sons et les parfums tournent dans l'air du soir ;
Valse mélancolique et langoureux vertige !

Chaque fleur s'évapore ainsi qu'un encensoir ;
Le violon frémit comme un cœur qu'on afflige ;
Valse mélancolique et langoureux vertige !
Le ciel est triste et beau comme un grand reposoir.

Le violon frémit comme un cœur qu'on afflige,
Un cœur tendre, qui hait le néant vaste et noir !
Le ciel est triste et beau comme un grand reposoir ;
Le soleil s'est noyé dans son sang qui se fige.

Un cœur tendre, qui hait le néant vaste et noir,
Du passé lumineux recueille tout vestige !
Le soleil s'est noyé dans son sang qui se fige…
Ton souvenir en moi luit comme un ostensoir !

Les Fleurs du mal

L'albatros

Souvent, pour s'amuser, les hommes d'équipage
Prennent des albatros, vastes oiseaux des mers,
Qui suivent, indolents compagnons de voyage,
Le navire glissant sur les gouffres amers.

À peine les ont-ils déposés sur les planches,
Que ces rois de l'azur, maladroits et honteux,
Laissent piteusement leurs grandes ailes blanches
Comme des avirons traîner à côté d'eux.

Ce voyageur ailé, comme il est gauche et veule !
Lui, naguère si beau, qu'il est comique et laid !
L'un agace son bec avec un brûle-gueule,
L'autre mime, en boitant, l'infirme qui volait !

Le Poète est semblable au prince des nuées
Qui hante la tempête et se rit de l'archer ;
Exilé sur le sol au milieu des huées,
Ses ailes de géant l'empêchent de marcher.

Les Fleurs du mal

❧ • ❧

À une passante

La rue assourdissante autour de moi hurlait.
Longue, mince, en grand deuil, douleur majestueuse,
Une femme passa, d'une main fastueuse
Soulevant, balançant le feston et l'ourlet ;

Agile et noble, avec sa jambe de statue.
Moi, je buvais, crispé comme un extravagant,
Dans son œil, ciel livide où germe l'ouragan,
La douceur qui fascine et le plaisir qui tue.

Un éclair... puis la nuit ! – Fugitive beauté
Dont le regard m'a fait soudainement renaître,
Ne te verrai-je plus que dans l'éternité ?

Ailleurs, bien loin d'ici ! trop tard ! jamais peut-être !
Car j'ignore où tu fuis, tu ne sais où je vais,
Ô toi que j'eusse aimée, ô toi qui le savais !

Les Fleurs du mal

Les chats

Les amoureux fervents et les savants austères
Aiment également, dans leur mûre saison,
Les chats puissants et doux, orgueil de la maison,
Qui comme eux sont frileux et comme eux

[sédentaires.

Amis de la science et de la volupté
Ils cherchent le silence et l'horreur des ténèbres ;
L'Érèbe les eût pris pour ses coursiers funèbres,
S'ils pouvaient au servage incliner leur fierté.

Ils prennent en songeant les nobles attitudes
Des grands sphinx allongés au fond des solitudes,
Qui semblent s'endormir dans un rêve sans fin ;

Leurs reins féconds sont pleins d'étincelles magiques,
Et des parcelles d'or, ainsi qu'un sable fin,
Étoilent vaguement leurs prunelles mystiques.

Les Fleurs du mal

Les hiboux

Sous les ifs noirs qui les abritent,
Les hiboux se tiennent rangés,
Ainsi que des dieux étrangers,
Dardant leur œil rouge. Ils méditent.

Sans remuer ils se tiendront
Jusqu'à l'heure mélancolique
Où, poussant le soleil oblique,
Les ténèbres s'établiront.

Leur attitude au sage enseigne
Qu'il faut en ce monde qu'il craigne
Le tumulte et le mouvement ,

L'homme ivre d'une ombre qui passe
Porte toujours le châtiment
D'avoir voulu changer de place.

Les Fleurs du mal

❧ • ❧

L'invitation au voyage

Mon enfant, ma sœur,
Songe à la douceur
D'aller là-bas vivre ensemble !
Aimer à loisir,
Aimer et mourir
Au pays qui te ressemble !
Les soleils mouillés
De ces ciels brouillés
Pour mon esprit ont les charmes
Si mystérieux
De tes traîtres yeux,
Brillant à travers leurs larmes.

Là, tout n'est qu'ordre et beauté,
Luxe, calme et volupté.

Des meubles luisants,
Polis par les ans,
Décoreraient notre chambre ;
Les plus rares fleurs
Mêlant leurs odeurs
Aux vagues senteurs de l'ambre,
Les riches plafonds,
Les miroirs profonds,
La splendeur orientale,
Tout y parlerait
À l'âme en secret
Sa douce langue natale.

Là, tout n'est qu'ordre et beauté,
Luxe, calme et volupté.

Vois sur ces canaux
Dormir ces vaisseaux
Dont l'humeur est vagabonde ;
C'est pour assouvir
Ton moindre désir
Qu'ils viennent du bout du monde.
— Les soleils couchants
Revêtent les champs,
Les canaux, la ville entière,
D'hyacinthe et d'or ;
Le monde s'endort
Dans une chaude lumière.

Là, tout n'est qu'ordre et beauté,
Luxe, calme et volupté.

Les Fleurs du mal

L'homme et la mer

Homme libre, toujours tu chériras la mer !
La mer est ton miroir ; tu contemples ton âme
Dans le déroulement infini de sa lame,
Et ton esprit n'est pas un gouffre moins amer.

Tu te plais à plonger au sein de ton image ;
Tu l'embrasses des yeux et des bras, et ton cœur
Se distrait quelquefois de sa propre rumeur
Au bruit de cette plainte indomptable et sauvage.

Vous êtes tous les deux ténébreux et discrets :
Homme, nul n'a sondé le fond de tes abîmes ;
Ô mer, nul ne connaît tes richesses intimes,
Tant vous êtes jaloux de garder vos secrets !

Et cependant voilà des siècles innombrables
Que vous vous combattez sans pitié ni remords,
Tellement vous aimez le carnage et la mort,
Ô lutteurs éternels, ô frères implacables !

Les Fleurs du mal

L'étranger

— Qui aimes-tu le mieux, homme énigmatique, dis ?
ton père, ta mère, ta sœur ou ton frère ?
— Je n'ai ni père, ni mère, ni sœur, ni frère.
— Tes amis ?
— Vous vous servez là d'une parole dont le sens m'est
resté jusqu'à ce jour inconnu.
— Ta patrie ?
— J'ignore sous quelle latitude elle est située.
— La beauté ?
— Je l'aimerais volontiers, déesse et immortelle.
— L'or ?
— Je le hais comme vous haïssez Dieu.
— Eh ! qu'aimes-tu donc, extraordinaire étranger ?
— J'aime les nuages… les nuages qui passent… là-
bas… là-bas… les merveilleux nuages !

Le Spleen de Paris,
repris sous le titre *Petits poèmes en prose*

Les fenêtres

Celui qui regarde du dehors, à travers une fenêtre ouverte, ne voit jamais autant de choses que celui qui regarde une fenêtre fermée. Il n'est pas d'objet plus profond, plus mystérieux, plus fécond, plus ténébreux, plus éblouissant qu'une fenêtre éclairée d'une chandelle. Ce qu'on peut voir au soleil est toujours moins intéressant que ce qui se passe derrière une vitre. Dans ce trou noir ou lumineux vit la vie, rêve la vie, souffre la vie.

Par-delà des vagues de toits, j'aperçois une femme mûre, ridée déjà, pauvre, toujours penchée sur quelque chose, et qui ne sort jamais. Avec son visage, avec son vêtement, avec son geste, avec presque rien, j'ai refait l'histoire de cette femme, ou plutôt sa légende, et quelquefois je me la raconte à moi-même en pleurant.

Si c'eût été un pauvre vieux homme, j'aurais refait la sienne tout aussi aisément.

Et je me couche, fier d'avoir vécu et souffert dans d'autres que moi-même.

Peut-être me direz-vous : « Es-tu sûr que cette légende soit la vraie ? » Qu'importe ce que peut être la réalité placée hors de moi, si elle m'a aidé à vivre, à sentir que je suis et ce que je suis ?

Le Spleen de Paris,
repris sous le titre *Petits poèmes en prose*

Le port

Un port est un séjour charmant pour une âme fatiguée des luttes de la vie. L'ampleur du ciel, l'architecture mobile des nuages, les colorations changeantes de la mer, le scintillement des phares, sont un prisme merveilleusement propre à amuser les yeux sans jamais les lasser. Les formes élancées des navires, au gréement compliqué, auxquels la houle imprime des oscillations harmonieuses, servent à entretenir dans l'âme le goût du rythme et de la beauté. Et puis, surtout, il y a une sorte de plaisir mystérieux et aristocratique pour celui qui n'a plus ni curiosité ni ambition, à contempler, couché dans le belvédère ou accoudé sur le môle, tous ces mouvements de ceux qui partent et de ceux qui reviennent, de ceux qui ont encore la force de vouloir, le désir de voyager ou de s'enrichir.

Le Spleen de Paris,
repris sous le titre *Petits poèmes en prose*

Le miroir

Un homme épouvantable entre et se regarde dans la glace.

« Pourquoi vous regardez-vous au miroir, puisque vous ne pouvez vous y voir qu'avec déplaisir ? »

L'homme épouvantable me répond : « Monsieur, d'après les immortels principes de 89, tous les hommes sont égaux en droits ; donc je possède le droit de me mirer ; avec plaisir ou déplaisir, cela ne regarde que ma conscience. »

Au nom du bon sens, j'avais sans doute raison ; mais, au point de vue de la loi, il n'avait pas tort.

Le Spleen de Paris,
repris sous le titre *Petits poèmes en prose*

Joseph Boulmier
(1821- 1892)

Pour faire une villanelle…

Pour faire une villanelle
Rime en « elle » et rime en « in »
La méthode est simple et belle.

On dispose en kyrielle
Cinq tercets, plus un quatrain,
Pour faire une villanelle

Sur le premier vers en « elle »
Le second tercet prend fin ;
La méthode est simple et belle.

Le troisième vers, fidèle,
Alterne comme refrain
Pour faire une villanelle

La ronde ainsi s'entremêle ;
L'un, puis l'autre, va son train
La méthode est simple et belle.

La dernière ritournelle
Les voit se donner la main
La méthode est simple et belle
Pour faire une villanelle.

Les Villanelles

Théodore de Banville
(1823 – 1891)

Le Thé

Rondeau

Miss Ellen, versez-moi le Thé
Dans la belle tasse chinoise,
Où des poissons d'or cherchent noise
Au monstre rose épouvanté.

J'aime la folle cruauté
Des chimères qu'on apprivoise :
Miss Ellen, versez-moi le Thé
Dans la belle tasse chinoise.

Là, sous un ciel rouge irrité,
Une dame fière et sournoise
Montre en ses longs yeux de turquoise
L'extase et la naïveté :
Miss Ellen, versez-moi le Thé.

Le Parnasse contemporain, III

Querelle

Lorsque ma sœur et moi, dans les forêts profondes,
Nous avions déchiré nos pieds sur les cailloux,
En nous baisant au front tu nous appelais fous,
Après avoir maudit nous courses vagabondes.

Puis, comme un vent d'été, brisant les fraîches ondes,
Mêle deux ruisseaux purs sur un lit calme et doux,
Lorsque tu nous tenais tous deux sur tes genoux,
Tu mêlais en riant nos chevelures blondes.

Et pendant bien longtemps nous restions là blottis,
Heureux, et tu disais parfois : « Ô chers petits !
Un jour vous serez grands, et moi je serai vieille ! »

Les jours se sont enfuis, d'un vol mystérieux,
Mais toujours la jeunesse éclatante et vermeille
Fleurit dans ton sourire et brille dans tes yeux.

Roses de Noël

À Adolphe Gaïffe

Jeune homme sans mélancolie,
Blond comme un soleil d'Italie,
Garde bien ta belle folie.

C'est la sagesse ! Aimer le vin,
La beauté, le printemps divin,
Cela suffit. Le reste est vain.

Souris, même au destin sévère !
Et quand revient la primevère,
Jettes-en les fleurs dans ton verre.

Au corps sous la tombe enfermé
Que reste-t-il ? D'avoir aimé
Pendant deux ou trois mois de mai.

« Cherchez les effets et les causes ! »
Nous disent les rêveurs moroses.
Des mots ! des mots ! cueillons les roses.

Odelettes

Jean-Baptiste Clément
(1836 – 1903)

Le temps des cerises

Quand nous chanterons le temps des cerises,
Et gai rossignol et merle moqueur
Seront tous en fête !
Les belles auront la folie en tête
Et les amoureux du soleil au cœur !

Quand nous chanterons le temps des cerises
Sifflera bien mieux le merle moqueur !

Mais il est bien court, le temps des cerises,
Où l'on s'en va deux cueillir en rêvant
Des pendants d'oreilles…
Cerises d'amour aux robes pareilles,
Tombant sous la feuille en gouttes de sang…

Mais il est bien court, le temps des cerises,
Pendants de corail qu'on cueille en rêvant !

Quand vous en serez au temps des cerises,
Si vous avez peur des chagrins d'amour,
Évitez les belles !
Moi qui ne crains pas les peines cruelles
Je ne vivrai point sans souffrir un jour…

Quand vous en serez au temps des cerises
Vous aurez aussi des chagrins d'amour !

J'aimerai toujours le temps des cerises,
C'est de ce temps-là que je garde au cœur
Une plaie ouverte !
Et dame Fortune, en m'étant offerte
Ne pourra jamais calmer ma douleur...

J'aimerai toujours le temps des cerises
Et le souvenir que je garde au cœur !

(*Poème mis en musique par Antoine Renard*)

Dansons la Capucine

Comptine
Chanson à danser en groupe :
on tourne en rond,
on s'assied sur le « You ! »,
puis on repart dans l'autre sens.

Dansons la capucine
Y'a pas de pain chez nous
Y'en a chez la voisine
Mais ce n'est pas pour nous
You !

Dansons la capucine
Y'a pas de vin chez nous
Y'en a chez la voisine
Mais ce n'est pas pour nous
You !

Dansons la capucine
Y'a pas de feu chez nous
Y'en a chez la voisine

Mais ce n'est pas pour nous
You !

Dansons la capucine
Y'a du plaisir chez nous
On pleure chez la voisine
On rit toujours chez nous
You !

René-François Sully Prudhomme
(1839 – 1907)

Le long du quai

Le long des quais les grands vaisseaux,
Que la houle incline en silence,
Ne prennent pas garde aux berceaux
Que la main des femmes balance.

Mais viendra le jour des adieux ;
Car il faut que les femmes pleurent
Et que les hommes curieux
Tentent les horizons qui leurrent.

Et ce jour-là les grands vaisseaux,
Fuyant le port qui diminue,
Sentent leur masse retenue
Par l'âme des lointains berceaux.

Stances et poèmes

Le vase brisé

Le vase où meurt cette verveine
D'un coup d'éventail fut fêlé ;
Le coup dut l'effleurer à peine :
Aucun bruit ne l'a révélé.

Mais la légère meurtrissure,
Mordant le cristal chaque jour,
D'une marche invisible et sûre,
En a fait lentement le tour.

Son eau fraîche a fui goutte à goutte,
Le suc des fleurs s'est épuisé ;
Personne encore ne s'en doute,
N'y touchez pas, il est brisé.

Souvent aussi la main qu'on aime,
Effleurant le cœur, le meurtrit ;
Puis le cœur se fend de lui-même,
La fleur de son amour périt ;

Toujours intact aux yeux du monde,
Il sent croître et pleurer tout bas
Sa blessure fine et profonde ;
Il est brisé, n'y touchez pas.

Stances et poèmes

Les yeux

Bleus ou noirs, tous aimés, tous beaux,
Des yeux sans nombre ont vu l'aurore ;
Ils dorment au fond des tombeaux
Et le soleil se lève encore.

Les nuits plus douces que les jours
Ont enchanté des yeux sans nombre ;
Les étoiles brillent toujours
Et les yeux se sont remplis d'ombre.

Oh ! qu'ils aient perdu le regard,
Non, non, cela n'est pas possible !
Ils se sont tournés quelque part
Vers ce qu'on nomme l'invisible ;

Et comme les astres penchants,
Nous quittent, mais au ciel demeurent,
Les prunelles ont leurs couchants,
Mais il n'est pas vrai qu'elles meurent :

Bleus ou noirs, tous aimés, tous beaux,
Ouverts à quelque immense aurore,
De l'autre côté des tombeaux
Les yeux qu'on ferme voient encore.

La vie intérieure

Catulle Mendès
(1841 – 1909)

Le poète doute si les jeunes hommes
ont raison de changer d'amour

Au brin d'herbe qu'elle a quitté
Songe la cigale infidèle ;
Meilleur exemple, l'hirondelle
N'a qu'un nid pour plus d'un été.

Vaudras-tu la réalité,
Bonheur rêvé qui fais fi d'elle ?
Au brin d'herbe qu'elle a quitté
Songe la cigale infidèle.

Pour fragile, hélas ! qu'ait été
L'amour qui fut notre tutelle,
Qui sait si notre âme, cette aile,
N'était pas plus en sûreté
Au brin d'herbe qu'elle a quitté ?

La Grive des vignes

François Coppée
(1842 – 1908)

De la rue on entend sa plaintive chanson…

Dizain

De la rue on entend sa plaintive chanson.
Pâle et rousse, le teint plein de taches de son,
Elle coud, de profil, assise à sa fenêtre.
Très sage et sachant bien qu'elle est laide peut-être,
Elle a son dé d'argent pour unique bijou.
Sa chambre est nue, avec des meubles d'acajou.
Elle gagne deux francs, fait de la lingerie
Et jette un sou quand vient l'orgue de Barbarie.
Tous les voisins lui font leur bonjour le plus gai
Qui leur vaut son petit sourire fatigué.

Un rêve de bonheur qui souvent m'accompagne…

Dizain

Un rêve de bonheur qui souvent m'accompagne,
C'est d'avoir un logis donnant sur la campagne,
Près des toits, tout au bout du faubourg prolongé,
Où je vivrais ainsi qu'un ouvrier rangé.
C'est là, me semble-t-il, qu'on ferait un bon livre.

En hiver, l'horizon des coteaux blancs de givre ;
En été, le grand ciel et l'air qui sent les bois ;
Et les rares amis, qui viendraient quelquefois
Pour me voir, de très loin, pourraient me reconnaître,
Jouant du flageolet, assis à ma fenêtre.

J'adore la banlieue avec ses champs en friche…

Dizain

J'adore la banlieue avec ses champs en friche
Et ses vieux murs lépreux, où quelque ancienne affiche
Me parle de quartiers dès longtemps démolis.
Ô vanité ! Le nom du marchand que j'y lis
Doit orner un tombeau dans le Père-Lachaise.
Je m'attarde. Il n'est rien ici qui ne me plaise,
Même les pissenlits frissonnant dans un coin.
Et puis, pour regagner les maisons déjà loin,
Dont le couchant vermeil fait flamboyer les vitres,
Je prends un chemin noir semé d'écailles d'huîtres.

Promenades et Intérieurs, IV

Charles Cros
(1842 – 1888)

Le Hareng saur

Le Hareng saur

Il était un grand mur blanc – nu, nu, nu,

Contre le mur une échelle – haute, haute, haute,

Et, par terre, un hareng saur – sec, sec, sec.

Il vient, tenant dans ses mains – sales, sales, sales,

Conseils sur l'art de dire
"Le Hareng saur"

par Coquelin cadet

Criez *Le Hareng saur* d'une voix forte. Ne bougez pas le corps, soyez d'une immobilité absolue. En disant ce titre, il faut que le public ait le sentiment d'une ligne noire se détachant sur un fond blanc.

Qu'on sente le mur droit, rigide, et comme il serait ennuyeux aussi monotone que cela, rompez la monotonie : allongez le son au troisième *nu*, cela agrandit le mur, et en donne presque la dimension à ceux qui vous écoutent.

Même intention et même intonation que pour la première ligne, et pour donner l'idée d'une échelle bien haute, envoyez en voix de fausset (note absolument imprévue) le dernier mot *haute*, ceci fera rire et vous serez en règle avec la fantaisie.

Indiquez du doigt la terre, et dites *hareng saur sec* avec une physionomie pauvre qui appelle l'intérêt sur ce malheureux hareng, la voix sera naturellement très sèche pour dire les trois adjectifs *sec, sec, sec*.

Soutenez la voix et qu'on sente le rythme dans les autres strophes comme dans la première. *Il* c'est le personnage, on ne sait pas qui c'est *Il*. Qu'on le voie, montrez-le, cet *Il* qui vous émeut, vous acteur, et peignez le dégoût qu'inspire un homme qui ne se lave jamais les mains en disant *sales, sales, sales*.

Un marteau lourd, un grand clou – pointu, pointu, pointu,

Un peloton de ficelle – gros, gros, gros.

Alors il monte à l'échelle – haute, haute, haute,

Et plante le clou pointu – toc, toc, toc,

Tout en haut du grand mur blanc – nu, nu, nu.

Il laisse aller le marteau – qui tombe, qui tombe, qui tombe,

Attache au clou la ficelle – longue, longue, longue,

Et, au bout, le hareng saur – sec, sec, sec.

Il redescend de l'échelle – haute, haute, haute,

L'emporte avec le marteau – lourd, lourd, lourd,

Baissez une épaule comme si vous portiez un marteau trop lourd pour vous, et montrez le clou, en dirigeant l'index vers les spectateurs et appuyez bien sur *pointu, pointu, pointu* pour que le clou entre bien dans l'attention générale.

Écartez les mains, éloignez-les des hanches par degré à chaque *gros, gros, gros*. Il est chargé, un marteau lourd, un grand clou pointu, et un énorme peleton, ce n'est pas peu de chose, il faut montrer cette charge sous laquelle ploie le pauvre *Il*.

Même jeu pour les *haute* que précédemment, la note aiguë à la fin, cette insistance peut faire rire.

Gestes d'un homme qui enfonce un clou avec un marteau, faire résonner les *toc* avec force, sans changer le son.

Gardez le ton de voix très solide, allongez de nouveau le dernier *nu*, et faites un geste plat de la main pour montrer l'égalité du mur.

Baissez le diapason par degré pour donner l'idée d'un marteau qui tombe. Vous regardez le public au premier *qui tombe*, aussi au second vous envoyez un regard par terre avant le troisième, et un autre regard au public en disant le troisième *qui tombe* et attendez l'effet qui doit se produire.

Allongez par degré le son sur *longue*, et que le dernier *longue* soit d'une longueur immense, un couac au milieu de l'intonation finale donnera un ragoût très comique au mot.

Appuyez d'un air de plus en plus piteux sur le troisième *sec*.

Même jeu que précédemment quand il monte, seulement l'inflexion des mots *haute* va decrescendo, le premier en voix de fausset, le second en médium, et le troisième en grave. Musical.

Pliez sous le faix en vous en allant. Vous êtes brisé, vous n'en pouvez plus, ce marteau est très lourd, ne l'oubliez pas.

Et puis, il s'en va ailleurs – loin, loin, loin.

Et, depuis, le hareng saur – sec, sec, sec,

Au bout de cette ficelle – longue, longue, longue,

Très lentement se balance – toujours, toujours, toujours.

J'ai composé cette histoire – simple, simple, simple,

Pour mettre en fureur les gens – graves, graves, graves,

Et amuser les enfants – petits, petits, petits.

Le Coffret de santal, « Grains de sel »

❧ • ❧

Graduez les *loin*, au troisième vous pourrez mettre votre main comme un auvent sur vos yeux pour voir *Il* à une distance considérable, et après l'avoir aperçu là-bas, là-bas, vous direz le dernier *loin*.

De plus en plus pitoyable.

Allongez d'un air très mélancolique la voix sur les *longue*, toujours avec couac ; ne craignez pas, c'est une scie.

Bien triste. Et geste d'escarpolette à *toujours, toujours, toujours*. Terminez bien en baissant la voix le troisième *toujours*, car le récit est fini. La dernière strophe n'est pour l'auditoire qu'un consolant post-scriptum.

Appuyez sur *simple*, pour faire dire au public : « Oh ! oui ! simple ! »

Très compassé ; qu'on sente les hautes cravates blanches officielles qui n'aiment pas ce genre de plaisanterie. Ouvrez démesurément la bouche au troisième *graves*, comme un M. Prudhomme très offensé.

Très gentiment avec un sourire, baissez graduellement la main à chaque *petits* pour indiquer la hauteur et l'âge des enfants. Saluez et sortez vite.

Coquelin aîné et Coquelin cadet,
L'Art de dire le monologue, 1884

❧ • ☙

Fiat lux

Il marche à l'heure vague où le jour tombe. Il marche,
Portant ses hauts bâtons. Et, double ogive, l'arche
Du pont encadre l'eau, couleur plume de coq.
Il a chaud et n'a pas le sou pour prendre un bock.
Mais partout où ses pas résonnent, la lumière
Brille. C'est l'allumeur humble de réverbère
Qui, rentrant pour la soupe, avec sa femme assis,
L'embrasse, éclairé par la chandelle des six,
Sans se douter – aucune ignorance n'est vile
Qu'il a diamanté, simple, la grande ville.

Le coffret de santal, « Grains de sel »

Romance

À Philippe Burty.

Le bleu matin
Fait pâlir les étoiles.
Dans l'air lointain
La brume a mis ses voiles.
C'est l'heure où vont,
Au bruit clair des cascades,
Danser en rond,
Sur le pré, les Dryades.

Matin moqueur,
Au dehors tout est rose.
Mais dans mon cœur
Règne l'ennui morose.
Car j'ai parfois

À son bras, à cette heure,
Couru ce bois.
Seule à présent j'y pleure.

Le jour paraît,
La brume est déchirée,
Et la forêt
Se voit pourpre et dorée.
Mais, pour railler
La peine qui m'oppresse,
J'entends piailler
Les oiseaux en liesse.

Le Coffret de santal, « Chansons perpétuelles »

Berceuse

Au comte de Trévelec.

Endormons-nous, petit chat noir.
Voici que j'ai mis l'éteignoir
Sur la chandelle.
Tu vas penser à des oiseaux
Sous bois, à de félins museaux…
Moi rêver d'elle.

Nous n'avons pas pris de café,
Et, dans notre lit bien chauffé
(Qui veille pleure)
Nous dormirons, pattes dans bras.
Pendant que tu ronronneras,
J'oublierai l'heure.

Sous tes yeux fins, appesantis,
Reluiront les oaristys

De la gouttière.
Comme chaque nuit, je croirai
La voir, qui froide a déchiré
Ma vie entière.

Et ton cauchemar sur les toits
Te diras l'horreur d'être trois
Dans une idylle.
Je subirai les yeux railleurs
De son faux cousin, et ses pleurs
De crocodile.

Si tu t'éveilles en sursaut
Griffé, mordu, tombant du haut
Du toit, moi-même
Je mourrai sous le coup félon
D'une épée au bout du bras long
Du fat qu'elle aime.

Puis, hors du lit, au matin gris,
Nous chercherons, toi, des souris,
Moi, des liquides
Qui nous fassent oublier tout,
Car, au fond, l'homme et le matou
Sont bien stupides.

Le coffret de santal, « Drames et fantaisies »

Paroles d'un miroir à une belle dame

Belle, belle, belle, belle !
Que voulez-vous que je dise
À votre frimousse exquise ?
Riez, rose, sans cervelle.

Je suis un petit miroir,
Je suis de glace et d'étain
Mais vos yeux et votre teint
S'illuminent à vous voir.

Les douleurs, les ennuis pires,
Je chasse tout penser triste ;
Je ne veux (un tic d'artiste)
Refléter que vos sourires.

Le collier de griffes, « Tendresse »

José-Maria de Heredia
(1842 – 1905)

Soleil couchant

Les ajoncs éclatants, parure du granit,
Dorent l'âpre sommet que le couchant allume ;
Au loin, brillante encor par sa barre d'écume,
La mer sans fin commence où la terre finit.

À mes pieds, c'est la nuit, le silence. Le nid
Se tait, l'homme est rentré sous le chaume qui fume.
Seul, l'Angélus du soir, ébranlé dans la brume,
À la vaste rumeur de l'Océan s'unit.

Alors, comme du fond d'un abîme, des traînes,
Des landes, des ravins, montent des voix lointaines
De pâtres attardés ramenant le bétail.

L'horizon tout entier s'enveloppe dans l'ombre
Et le soleil mourant sur un ciel riche et sombre,
Ferme les branches d'or de son riche éventail.

Les Trophées

Les conquérants

Comme un vol de gerfauts hors du charnier natal,
Fatigués de porter leurs misères hautaines,
De Palos de Moguer, routiers et capitaines
Partaient, ivres d'un rêve héroïque et brutal.

Ils allaient conquérir le fabuleux métal
Que Cipango mûrit dans ses mines lointaines,
Et les vents alizés inclinaient leurs antennes
Aux bords mystérieux du monde occidental.

Chaque soir, espérant des lendemains épiques,
L'azur phosphorescent de la mer des Tropiques
Enchantait leur sommeil d'un mirage doré ;

Ou penchés à l'avant des blanches caravelles,
Ils regardaient monter en un ciel ignoré
Du fond de l'Océan des étoiles nouvelles.

Les Trophées

Stéphane Mallarmé
(1842 – 1898)

Apparition

La lune s'attristait. Des séraphins en pleurs
Rêvant, l'archet aux doigts, dans le calme des fleurs
Vaporeuses, tiraient de mourantes violes
De blancs sanglots glissant sur l'azur des corolles.
— C'était le jour béni de ton premier baiser.
Ma songerie aimant à me martyriser
S'enivrait savamment du parfum de tristesse
Que même sans regret et sans déboire laisse
La cueillaison d'un Rêve au cœur qui l'a cueilli.
J'errais donc, l'œil rivé sur le pavé vieilli
Quand avec du soleil aux cheveux, dans la rue
Et dans le soir, tu m'es en riant apparue
Et j'ai cru voir la fée au chapeau de clarté
Qui jadis sur mes beaux sommeils d'enfant gâté
Passait, laissant toujours de ses mains mal fermées
Neiger de blancs bouquets d'étoiles parfumées.

Premiers poèmes

Le vitrier

Le pur soleil qui remise
Trop d'éclat pour l'y trier

Ôte ébloui sa chemise
Sur le dos du vitrier.

Le crieur d'imprimés

Toujours, n'importe le titre
Sans même s'enrhumer au
Dégel, ce gai siffle-litre
Crie un premier numéro.

Le cantonnier

Ces cailloux, tu les nivelles
Et c'est, comme troubadour,
Un cube aussi de cervelles
Qu'il me faut ouvrir par jour.

Chansons bas, « Types de la rue »

Paul Verlaine
(1844 – 1896)

Il pleure dans mon cœur...

Il pleure dans mon cœur
Comme il pleut sur la ville ;
Quelle est cette langueur
Qui pénètre mon cœur ?

Ô bruit doux de la pluie
Par terre et sur les toits !
Pour un cœur qui s'ennuie,
Ô le chant de la pluie !

Il pleure sans raison
Dans ce cœur qui s'écœure.
Quoi ! nulle trahison ?...
Ce deuil est sans raison.

C'est bien la pire peine
De ne savoir pourquoi
Sans amour et sans haine
Mon cœur a tant de peine !

Il pleut doucement sur la ville.
Arthur Rimbaud

Romances sans paroles, « Ariettes oubliées »

❧ • ❧

Le ciel est par-dessus le toit

Le ciel est, par-dessus le toit,
Si bleu, si calme !
Un arbre, par-dessus le toit,
Berce sa palme.

La cloche, dans le ciel qu'on voit,
Doucement tinte.
Un oiseau sur l'arbre qu'on voit
Chante sa plainte.

Mon Dieu, mon Dieu, la vie est là
Simple et tranquille.
Cette paisible rumeur-là
Vient de la ville.

Qu'as-tu fait, ô toi que voilà
Pleurant sans cesse,
Dis, qu'as-tu fait, toi que voilà,
De ta jeunesse ?

Sagesse

Chanson d'automne

Les sanglots longs
Des violons
De l'automne
Blessent mon cœur
D'une langueur
Monotone.

Tout suffocant
Et blême, quand
Sonne l'heure,
Je me souviens
Des jours anciens
Et je pleure

Et je m'en vais
Au vent mauvais
Qui m'emporte
Deçà, delà,
Pareil à la
Feuille morte.

Poèmes saturniens

Marine

L'Océan sonore
Palpite sous l'œil
De la lune en deuil
Et palpite encore,

Tandis qu'un éclair
Brutal et sinistre
Fend le ciel de bistre
D'un long zigzag clair,

Et que chaque lame,
En bonds convulsifs,
Le long des récifs
Va, vient, luit et clame,

Et qu'au firmament,
Où l'ouragan erre,

Rugit le tonnerre
formidablement.

Poèmes saturniens

Soleils couchants

À Catulle Mendès.

Une aube affaiblie
Verse par les champs
La mélancolie
Des soleils couchants.

La mélancolie
Berce de doux chants
Mon cœur qui s'oublie
Aux soleils couchants.

Et d'étranges rêves,
Comme des soleils
Couchants sur les grèves,
Fantômes vermeils,

Défilent sans trêves,
Défilent, pareils
À de grands soleils
Couchants sur les grèves.

Poèmes saturniens

Mon rêve familier

Je fais souvent ce rêve étrange et pénétrant
D'une femme inconnue, et que j'aime, et qui m'aime
Et qui n'est, chaque fois, ni tout à fait la même
Ni tout à fait une autre, et m'aime et me comprend.

Car elle me comprend, et mon cœur, transparent
Pour elle seule, hélas ! cesse d'être un problème
Pour elle seule, et les moiteurs de mon front blême,
Elle seule les sait rafraîchir, en pleurant.

Est-elle brune, blonde ou rousse ? — Je l'ignore.
Son nom ? Je me souviens qu'il est doux et sonore
Comme ceux des aimés que la Vie exila.

Son regard est pareil au regard des statues,
Et, pour sa voix, lointaine, et calme, et grave, elle a
L'inflexion des voix chères qui se sont tues.

Poèmes saturniens

Green

Voici des fruits, des fleurs, des feuilles et des branches
Et puis voici mon cœur qui ne bat que pour vous.
Ne le déchirez pas avec vos deux mains blanches
Et qu'à vos yeux si beaux l'humble présent soit doux.

J'arrive tout couvert encore de rosée
Que le vent du matin vient glacer à mon front.
Souffrez que ma fatigue à vos pieds reposée
Rêve des chers instants qui la délasseront.

Sur votre jeune sein laissez rouler ma tête
Toute sonore encore de vos derniers baisers ;
Laissez-la s'apaiser de la bonne tempête,
Et que je dorme un peu puisque vous reposez.

Romances sans paroles

Monsieur Prudhomme

Il est grave : il est maire et père de famille.
Son faux col engloutit son oreille. Ses yeux
Dans un rêve sans fin flottent insoucieux,
Et le printemps en fleur sur ses pantoufles brille.

Que lui fait l'astre d'or, que lui fait la charmille
Où l'oiseau chante à l'ombre, et que lui font les cieux,
Et les prés verts et les gazons silencieux ?
Monsieur Prudhomme songe à marier sa fille.

Avec monsieur Machin, un jeune homme cossu,
Il est juste-milieu, botaniste et pansu.
Quant aux faiseurs de vers, ces vauriens, ces
                                        [maroufles,

Ces fainéants barbus, mal peignés, il les a
Plus en horreur que son éternel coryza,
Et le printemps en fleur brille sur ses pantoufles.

Poèmes saturniens

Clair de lune

Votre âme est un paysage choisi
Que vont charmant masques et bergamasques
Jouant du luth et dansant et quasi
Tristes sous leurs déguisements fantasques.
Tout en chantant sur le mode mineur
L'amour vainqueur et la vie opportune,
Ils n'ont pas l'air de croire à leur bonheur
Et leur chanson se mêle au clair de lune,
Au calme clair de lune triste et beau,
Qui fait rêver les oiseaux dans les arbres
Et sangloter d'extase les jets d'eau,
Les grands jets d'eau sveltes parmi les marbres.

Fêtes galantes

L'heure exquise

La lune blanche
Luit dans les bois ;
De chaque branche
Part une voix
Sous la ramée …
Ô bien-aimée.
L'étang reflète,
Profond miroir,
La silhouette
Du saule noir
Où le vent pleure …
Rêvons, c'est l'heure.
Un vaste et tendre
Apaisement
Semble descendre

Du firmament
Que l'astre irise ...
C'est l'heure exquise.

La bonne chanson

Je suis venu, calme orphelin...

Gaspard Hauser chante :

Je suis venu, calme orphelin,
Riche de mes seuls yeux tranquilles,
Vers les hommes des grandes villes :
Ils ne m'ont pas trouvé malin.

À vingt ans un trouble nouveau
Sous le nom d'amoureuses flammes
M'a fait trouver belles les femmes :
Elles ne m'ont pas trouvé beau.

Bien que sans patrie et sans roi
Et très brave ne l'étant guère,
J'ai voulu mourir à la guerre :
La mort n'a pas voulu de moi.

Suis-je né trop tôt ou trop tard ?
Qu'est-ce que je fais en ce monde ?
Ô vous tous, ma peine est profonde :
Priez pour le pauvre Gaspard !

Sagesse

Impression fausse

Dame souris trotte,
Noire dans le gris du soir,
Dame souris trotte
Grise dans le noir.

On sonne la cloche,
Dormez, les bons prisonniers !
On sonne la cloche :
Faut que vous dormiez.

Pas de mauvais rêve,
Ne pensez qu'à vos amours
Pas de mauvais rêve :
Les belles toujours !

Le grand clair de lune !
On ronfle ferme à côté.
Le grand clair de lune
En réalité !

Un nuage passe,
Il fait noir comme en un four.
Un nuage passe.
Tiens, le petit jour !

Dame souris trotte,
Rose dans les rayons bleus.
Dame souris trotte :
Debout, paresseux !

Parallèlement

Art poétique

De la musique avant toute chose,
Et pour cela préfère l'Impair
Plus vague et plus soluble dans l'air,
Sans rien en lui qui pèse ou qui pose.

Il faut aussi que tu n'ailles point
Choisir tes mots sans quelque méprise :
Rien de plus cher que la chanson grise
Où l'Indécis au Précis se joint.

C'est des beaux yeux derrière des voiles,
C'est le grand jour tremblant de midi,
C'est, par un ciel d'automne attiédi,
Le bleu fouillis des claires étoiles !

Car nous voulons la Nuance encor,
Pas la Couleur, rien que la nuance !
Oh ! la nuance seule fiance
Le rêve au rêve et la flûte au cor !

Fuis du plus loin la Pointe assassine,
L'Esprit cruel et le Rire impur,
Qui font pleurer les yeux de l'Azur,
Et tout cet ail de basse cuisine !

Prends l'éloquence et tords-lui son cou !
Tu feras bien, en train d'énergie,
De rendre un peu la Rime assagie.
Si l'on n'y veille, elle ira jusqu'où ?

Ô qui dira les torts de la Rime ?
Quel enfant sourd ou quel nègre fou
Nous a forgé ce bijou d'un sou
Qui sonne creux et faux sous la lime ?

De la musique encore et toujours !
Que ton vers soit la chose envolée
Qu'on sent qui fuit d'une âme en allée
Vers d'autres cieux à d'autres amours.

Que ton vers soit la bonne aventure
Éparse au vent crispé du matin
Qui va fleurant la menthe et le thym...
Et tout le reste est littérature.

Jadis et naguère

Tristan Corbière
(1845 – 1875)

Petit mort pour rire

Va vite, léger peigneur de comètes !
Les herbes au vent seront tes cheveux ;
De ton œil béant jailliront les feux
Follets, prisonniers dans les pauvres têtes...

Les fleurs de tombeau qu'on nomme Amourettes
Foisonneront plein ton rire terreux...
Et les myosotis, ces fleurs d'oubliettes...

Ne fais pas le lourd : cercueils de poètes
Pour les croque-morts sont de simples jeux,
Boîtes à violon qui sonnent le creux...
Ils te croiront mort – Les bourgeois sont bêtes –
Va vite, léger peigneur de comètes !

Les Amours jaunes

Rondel

Il fait noir, enfant, voleur d'étincelles !
Il n'est plus de nuits, il n'est plus de jours ;
Dors... en attendant venir toutes celles
Qui disaient : Jamais ! Qui disaient : Toujours !

Entends-tu leurs pas ?... Ils ne sont pas lourds :
Oh ! les pieds légers ! – l'Amour a des ailes...
Il fait noir, enfant, voleur d'étincelles !
Entends-tu leurs voix ?... Les caveaux sont sourds.

Dors : il pèse peu, ton faix d'immortelles ;
Ils ne viendront pas, tes amis les ours,
Jeter leur pavé sur tes demoiselles...
Il fait noir, enfant, voleur d'étincelles !

Les Amours jaunes

❧ • ❧

Sonnet
(Avec la manière de s'en servir)

Réglons notre papier et formons bien nos lettres :

Vers filés à la main et d'un pied uniforme,
Emboîtant bien le pas, par quatre en peloton ;
Qu'en marquant la césure, un des quatre s'endorme...
Ça peut dormir debout comme soldats de plomb.

Sur le railway du Pinde est la ligne, la forme ;
Aux fils du télégraphe : – on en suit quatre, en long ;
À chaque pieu, la rime – exemple : chloroforme.
— Chaque vers est un fil, et la rime un jalon.

— Télégramme sacré – 20 mots. – Vite à mon aide...
(Sonnet – c'est un sonnet –) Ô Muse d'Archimède !
— La preuve d'un sonnet est par l'addition :

— Je pose 4 et 4 = 8 ! Alors je procède,
En posant 3 et 3 ! – Tenons Pégase raide :
« Ô lyre ! Ô délire ! Ô... » – Sonnet – Attention !

Les Amours jaunes

Maurice Rollinat
(1846 – 1903)

La biche

La biche brame au clair de lune
Et pleure à se fondre les yeux :
Son petit faon délicieux
A disparu dans la nuit brune.

Pour raconter son infortune
À la forêt de ses aïeux,
La biche brame au clair de lune
Et pleure à se fondre les yeux.

Mais aucune réponse, aucune,
À ses longs appels anxieux !
Et le cou tendu vers les cieux,
Folle d'amour et de rancune,
La biche brame au clair de lune.

Les refuges

Le vieux pont

Ce bon vieux pont, sous ses trois arches,
En a déjà bien vu de l'eau
Passer verte avec du galop
Ou du rampement dans sa marche.

Il connaît le pas, la démarche
De l'errant qui porte un ballot,
Du petit berger tout pâlot
Et du mendiant patriarche.

Au creux de ce profond pays,
Entre ces grands bois recueillis
Où l'ombre humide a son royaume,

Le jour, à peine est-il réel !…
Le soir, sous l'œil rouge du ciel,
Il devient tout à fait fantôme.

Paysages et paysans

Guy de Maupassant
(1850 – 1893)

Nuit de neige

La grande plaine est blanche, immobile et sans voix.
Pas un bruit, pas un son ; toute vie est éteinte.
Mais on entend parfois, comme une morne plainte,
Quelque chien sans abri qui hurle au coin d'un bois.

Plus de chansons dans l'air, sous nos pieds plus de
                                                    [chaumes.
L'hiver s'est abattu sur toute floraison ;
Des arbres dépouillés dressent à l'horizon
Leurs squelettes blanchis ainsi que des fantômes.

La lune est large et pâle et semble se hâter.
On dirait qu'elle a froid dans le grand ciel austère.
De son morne regard elle parcourt la terre,
Et, voyant tout désert, s'empresse à nous quitter.

Et froids tombent sur nous les rayons qu'elle darde,
Fantastiques lueurs qu'elle s'en va semant ;
Et la neige s'éclaire au loin, sinistrement,
Aux étranges reflets de la clarté blafarde.

Oh ! la terrible nuit pour les petits oiseaux !
Un vent glacé frissonne et court par les allées ;
Eux, n'ayant plus l'asile ombragé des berceaux,
Ne peuvent pas dormir sur leurs pattes gelées.

Dans les grands arbres nus que couvre le verglas
Ils sont là, tout tremblants, sans rien qui les protège ;
De leur œil inquiet ils regardent la neige,
Attendant jusqu'au jour la nuit qui ne vient pas.

Des vers

Arthur Rimbaud
(1854 – 1891)

Sensation

Par les soirs bleus d'été, j'irai dans les sentiers,
Picoté par les blés, fouler l'herbe menue :
Rêveur, j'en sentirai la fraîcheur à mes pieds.
Je laisserai le vent baigner ma tête nue.

Je ne parlerai pas, je ne penserai rien :
Mais l'amour infini me montera dans l'âme,
Et j'irai loin, bien loin, comme un bohémien,
Par la Nature, heureux – comme avec une femme.

Mars 1870
Poésies, « Le Cahier de Douai »

Ma bohème
(Fantaisie)

Je m'en allais, les poings dans mes poches crevées ;
Mon paletot aussi devenait idéal ;
J'allais sous le ciel, Muse ! et j'étais ton féal ;
Oh ! là ! là ! que d'amours splendides j'ai rêvées !

Mon unique culotte avait un large trou.
— Petit-Poucet rêveur, j'égrenais dans ma course
Des rimes. Mon auberge était à la Grande-Ourse.

— Mes étoiles au ciel avaient un doux frou-frou

Et je les écoutais, assis au bord des routes,
Ces bons soirs de septembre où je sentais des gouttes
De rosée à mon front, comme un vin de vigueur ;

Où, rimant au milieu des ombres fantastiques,
Comme des lyres, je tirais les élastiques
De mes souliers blessés, un pied près de mon cœur !

Poésies, « Le Cahier de Douai »

Roman

I

On n'est pas sérieux, quand on a dix-sept ans.
— Un beau soir, foin des bocks et de la limonade,
Des cafés tapageurs aux lustres éclatants !
— On va sous les tilleuls verts de la promenade.

Les tilleuls sentent bon dans les bons soirs de juin !
L'air est parfois si doux, qu'on ferme la paupière ;
Le vent chargé de bruits – la ville n'est pas loin –
À des parfums de vigne et des parfums de bière...

II

— Voilà qu'on aperçoit un tout petit chiffon
D'azur sombre, encadré d'une petite branche,
Piqué d'une mauvaise étoile, qui se fond
Avec de doux frissons, petite et toute blanche...

Nuit de juin ! Dix-sept ans ! – On se laisse griser.
La sève est du champagne et vous monte à la tête...

On divague ; on se sent aux lèvres un baiser
Qui palpite là, comme une petite bête…

III

Le cœur fou robinsonne à travers les romans,
— Lorsque, dans la clarté d'un pâle réverbère,
Passe une demoiselle aux petits airs charmants,
Sous l'ombre du faux col effrayant de son père…

Et, comme elle vous trouve immensément naïf,
Tout en faisant trotter ses petites bottines,
Elle se tourne, alerte et d'un mouvement vif…
— Sur vos lèvres alors meurent les cavatines…

IV

Vous êtes amoureux. Loué jusqu'au mois d'août.
Vous êtes amoureux. – Vos sonnets La font rire.
Tous vos amis s'en vont, vous êtes mauvais goût.
— Puis l'adorée, un soir, a daigné vous écrire !…

— Ce soir-là…, – vous rentrez aux cafés éclatants,
Vous demandez des bocks ou de la limonade…
— On n'est pas sérieux, quand on a dix-sept ans
Et qu'on a des tilleuls verts sur la promenade.

29 septembre 1870
Poésies, « Le Cahier de Douai »

Rêvé pour l'hiver

L'hiver, nous irons dans un petit wagon rose
      Avec des coussins bleus.
Nous serons bien. Un nid de baisers fous repose
      Dans chaque coin moelleux.

Tu fermeras l'œil, pour ne point voir, par la glace,
      Grimacer les ombres des soirs,
Ces monstruosités hargneuses, populace
      De démons noirs et de loups noirs.

Puis tu te sentiras la joue égratignée…
Un petit baiser, comme une folle araignée,
      Te courra par le cou…

Et tu me diras : « Cherche ! » en inclinant la tête,
— Et nous prendrons du temps à trouver cette bête
      — Qui voyage beaucoup…

Poésies, « Le Cahier de Douai »

Le dormeur du val

C'est un trou de verdure où chante une rivière
Accrochant follement aux herbes des haillons
D'argent ; où le soleil de la montagne fière,
Luit : c'est un petit val qui mousse de rayons.

Un soldat jeune, bouche ouverte, tête nue,
Et la nuque baignant dans le frais cresson bleu,
Dort ; il est étendu dans l'herbe, sous la nue,
Pâle dans son lit vert où la lumière pleut.

Les pieds dans les glaïeuls, il dort. Souriant comme
Sourirait un enfant malade, il fait un somme :
Nature, berce-le chaudement : il a froid.

Les parfums ne font pas frissonner sa narine ;
Il dort dans le soleil, la main sur sa poitrine
Tranquille. Il a deux trous rouges au côté droit.

Octobre 1870
Poésies, « Le Cahier de Douai »

Les effarés

Noirs dans la neige et dans la brume,
Au grand soupirail qui s'allume,
    Leurs culs en rond,

À genoux, cinq petits, – misère ! –
Regardent le boulanger faire
    Le lourd pain blond.

Ils voient le fort bras blanc qui tourne
La pâte grise et qui l'enfourne
    Dans un trou clair.

Ils écoutent le bon pain cuire.
Le boulanger au gras sourire
    Grogne un vieil air.

Ils sont blottis, pas un ne bouge,
Au souffle du soupirail rouge
    Chaud comme un sein.

Quand pour quelque médianoche,
Façonné comme une brioche
    On sort le pain,

Quand, sous les poutres enfumées,
Chantent les croûtes parfumées
    Et les grillons,

Que ce trou chaud souffle la vie,
Ils ont leur âme si ravie
    Sous leurs haillons,

Ils se ressentent si bien vivre,
Les pauvres Jésus pleins de givre,
    Qu'ils sont là tous,

Collant leurs petits museaux roses
Au treillage, grognant des choses
    Entre les trous,

Tout bêtes, faisant leurs prières
Et repliés vers ces lumières
    Du ciel rouvert,

Si fort qu'ils crèvent leur culotte
Et que leur chemise tremblote
    Au vent d'hiver.

20 septembre 1870
Poésies, « Le Cahier de Douai »

Le buffet

C'est un large buffet sculpté ; le chêne sombre,
Très vieux, a pris cet air si bon des vieilles gens ;
Le buffet est ouvert, et verse dans son ombre
Comme un flot de vin vieux, des parfums

                [engageants ;

Tout plein, c'est un fouillis de vieilles vieilleries,
De linges odorants et jaunes, de chiffons
De femmes ou d'enfants, de dentelles flétries,
De fichus de grand'mère où sont peints des griffons ;

— C'est là qu'on trouverait les médaillons, les mèches
De cheveux blancs ou blonds, les portraits, les fleurs
                                            [sèches
Dont le parfum se mêle à des parfums de fruits.

— Ô buffet du vieux temps, tu sais bien des histoires,
Et tu voudrais conter tes contes, et tu bruis
Quand s'ouvrent lentement tes grandes portes noires.

Octobre 1870
Poésies, « Le Cahier de Douai »

Voyelles

A noir, E blanc, I rouge, U vert, O bleu : voyelles,
Je dirai quelque jour vos naissances latentes :
A, noir corset velu des mouches éclatantes
Qui bombinent autour des puanteurs cruelles,

Golfes d'ombre ; E, candeurs des vapeurs et des
                                            [tentes,
Lances des glaciers fiers, rois blancs, frissons
                                            [d'ombelles ;
I, pourpres, sang craché, rire des lèvres belles
Dans la colère ou les ivresses pénitentes ;

U, cycles, vibrements divins des mers virides,
Paix des pâtis semés d'animaux, paix des rides
Que l'alchimie imprime aux grands fronts studieux ;

O, suprême Clairon plein des strideurs étranges,
Silences traversés des Mondes et des Anges :
— O l'Oméga, rayon violet de Ses Yeux !

Poésies, « Poèmes de 1871 »

Le Balai

C'est un humble balai de chiendent, trop dur
Pour une chambre ou pour la peinture d'un mur.
L'usage en est navrant et ne vaut pas qu'on rie.
Racine prise à quelque ancienne prairie
Son crin inerte sèche : et son manche a blanchi.
Tel un bois d'île à la canicule rougi.
La cordelette semble une tresse gelée.
J'aime de cet objet la saveur désolée
Et j'en voudrais laver tes larges bords de lait,
Ô Lune où l'esprit de nos Sœurs mortes se plaît.

Dixains Réalistes et autres « Vieux Coppées »

Aube

J'ai embrassé l'aube d'été.

Rien ne bougeait encore au front des palais. L'eau était morte. Les camps d'ombres ne quittaient pas la route du bois. J'ai marché, réveillant les haleines vives et tièdes, et les pierreries regardèrent, et les ailes se levèrent sans bruit.

La première entreprise fut, dans le sentier déjà empli de frais et blêmes éclats, une fleur qui me dit son nom.

Je ris au wasserfall blond qui s'échevela à travers les sapins : à la cime argentée je reconnus la déesse.

Alors je levai un à un les voiles. Dans l'allée, en agitant les bras. Par la plaine, où je l'ai dénoncée au coq. À la grand'ville elle fuyait parmi les clochers et les dômes, et courant comme un mendiant sur les quais de marbre, je la chassais.

En haut de la route, près d'un bois de lauriers, je l'ai entourée avec ses voiles amassés, et j'ai senti un peu son immense corps. L'aube et l'enfant tombèrent au bas du bois.

Au réveil il était midi.

Illuminations

Enfance, III

Au bois il y a un oiseau, son chant vous arrête et vous fait rougir.
Il y a une horloge qui ne sonne pas.
Il y a une fondrière avec un nid de bêtes blanches.
Il y a une cathédrale qui descend et un lac qui monte.
Il y a une petite voiture abandonnée dans le taillis, ou qui descend le sentier en courant, enrubannée.

Il y a une troupe de petits comédiens en costumes,
aperçus sur la route à travers la lisière du bois.
Il y a enfin, quand l'on a faim et soif, quelqu'un qui
vous chasse.

Illuminations

Phrases, V

J'ai tendu des cordes de clocher à clocher ; des guirlandes de fenêtre à fenêtre ; des chaînes d'or d'étoile à
étoile, et je danse.

Illuminations

Alphonse Allais
(1854 – 1905)

Le bœuf à la vache

D'où te vint
L'air boulot ?
L'herbe ou l'eau ?
Doute vain

Elle sort là ? bas des menthes,
La belle Ève à l'âme hantée
Et le sort l'abat démente
L'abbé laid va lamenter.

Ô Seigneur !
Quelle panse !
Qu'elle pense
Au saigneur !

Réponse de la vache

J'ai mi-saoule
Gémi sous le
Faix nouveau.
Aide ! Grâce !
Et de grasse
Fais-nous veau !

❧ • ❧

Complainte amoureuse

Oui, dès l'instant que je vous vis,
Beauté féroce, vous me plûtes ;
De l'amour qu'en vos yeux je pris,
Sur-le-champ vous vous aperçûtes ;
Mais de quel air froid vous reçûtes
Tous les soins que pour vous je pris !
En vain je priai, je gémis :
Dans votre dureté vous sûtes
Mépriser tout ce que je fis.
Même un jour je vous écrivis
Un billet tendre que vous lûtes,
Et je ne sais comment vous pûtes
De sang-froid voir ce que j'y mis.
Ah ! fallait-il que je vous visse,
Fallait-il que vous me plussiez,
Qu'ingénument je vous le disse,
Qu'avec orgueil vous vous tussiez !
Fallait-il que je vous aimasse,
Que vous me désespérassiez,
Et qu'en vain je m'opiniâtrasse,
Et que je vous idolâtrasse.
Pour que vous m'assassinassiez !

Holorimes

Par le bois du Djinn où s'entasse de l'effroi,
Parle ! Bois du gin ou cent tasses de lait froid !

Alphonse Allais de l'âme erre et se f.. à l'eau.
Ah ! l' fond salé de la mer ! Hé ! ce fou ! Allo !

Le châtiment de la cuisson
appliqué aux imposteurs
Peut se lire comme une fable express
avec sa moralité

Chaque fois que les gens découvrent son mensonge,
Le châtiment lui vient, par la colère accrue.
« Je suis cuit, je suis cuit ! » gémit-il comme en songe.

Le menteur n'est jamais cru.

Rimes riches à l'œil

L'homme insulté qui se retient
Est, à coup sûr, doux et patient.
Par contre, l'homme à l'humeur aigre
Gifle celui qui le dénigre.
Moi, je n'agis qu'à bon escient :
Mais, gare aux fâcheux qui me scient !
Qu'ils soient de Château-l'Abbaye
Ou nés à Saint-Germain-en-Laye,
Je les rejoins d'où qu'ils émanent,
Car mon courroux est permanent.
Ces gens qui se croient des Shakespeares
Ou rois des îles Baléares !
Qui, tels des condors, se soulèvent !
Mieux vaut le moindre engoulevent.
Par le diable, sans être un aigle,
Je vois clair et ne suis pas bigle.
Fi des idiots qui balbutient !
Gloire au savant qui m'entretient !

Émile Verhaeren
(1855 – 1916)

Le vent

Sur la bruyère longue infiniment,
Voici le vent cornant Novembre ;
Sur la bruyère, infiniment,
     Voici le vent
Qui se déchire et se démembre,
En souffles lourds, battant les bourgs ;
     Voici le vent,
Le vent sauvage de Novembre.

Aux puits des fermes,
Les seaux de fer et les poulies
     Grincent ;
Aux citernes des fermes.
Les seaux et les poulies
Grincent et crient
Toute la mort, dans leurs mélancolies.

Le vent rafle, le long de l'eau,
Les feuilles mortes des bouleaux,
Le vent sauvage de Novembre ;
Le vent mord, dans les branches,
Des nids d'oiseaux ;
Le vent râpe du fer
Et peigne, au loin, les avalanches,
Rageusement du vieil hiver,
Rageusement, le vent,
Le vent sauvage de Novembre.

Dans les étables lamentables,
Les lucarnes rapiécées
Ballottent leurs loques falotes
De vitres et de papier.
– Le vent sauvage de Novembre ! –
Sur sa butte de gazon bistre,
De bas en haut, à travers airs,
De haut en bas, à coups d'éclairs,
Le moulin noir fauche, sinistre,
Le moulin noir fauche le vent,
  Le vent,
Le vent sauvage de Novembre.

Les vieux chaumes, à cropetons,
Autour de leurs clochers d'église.
Sont ébranlés sur leurs bâtons ;
Les vieux chaumes et leurs auvents
Claquent au vent,
Au vent sauvage de Novembre.
Les croix du cimetière étroit,
Les bras des morts que sont ces croix,
Tombent, comme un grand vol,
Rabattu noir, contre le sol.

Le vent sauvage de Novembre,
  Le vent,
L'avez-vous rencontré le vent,
Au carrefour des trois cents routes,
Criant de froid, soufflant d'ahan,
L'avez-vous rencontré le vent,
Celui des peurs et des déroutes ;
L'avez-vous vu, cette nuit-là,
Quand il jeta la lune à bas,
Et que, n'en pouvant plus,
Tous les villages vermoulus
Criaient, comme des bêtes,
Sous la tempête ?

Sur la bruyère, infiniment,
Voici le vent hurlant,
Voici le vent cornant Novembre.

Les villages illusoires

Décembre

(Les hôtes)

— Ouvrez, les gens, ouvrez la porte,
je frappe au seuil et à l'auvent,
ouvrez, les gens, je suis le vent,
qui s'habille de feuilles mortes.

— Entrez, monsieur, entrez, le vent,
voici pour vous la cheminée
et sa niche badigeonnée ;
entrez chez nous, monsieur le vent.

— Ouvrez, les gens, je suis la pluie,
je suis la veuve en robe grise
dont la trame s'indéfinise,
dans un brouillard couleur de suie.

— Entrez, la veuve, entrez chez nous,
entrez, la froide et la livide,
les lézardes du mur humide
s'ouvrent pour vous loger chez nous.

— Levez, les gens, la barre en fer,
ouvrez, les gens, je suis la neige,
mon manteau blanc se désagrège
sur les routes du vieil hiver.

— Entrez, la neige, entrez, la dame,
avec vos pétales de lys
et semez-les par le taudis
jusque dans l'âtre où vit la flamme.

Car nous sommes les gens inquiétants
qui habitent le Nord des régions désertes,
qui vous aimons – dites, depuis quels temps ? –
pour les peines que nous avons par vous souffertes.

Les douze mois

Jules Laforgue
(1860 – 1887)

Les humbles
(Tableau parisien)

Képi, pantalon bleu, veston court, collet droit
Brodé de fils d'argent, – Les gros sous qu'il reçoit
Vont dans un sac de cuir qu'il porte en bandoulière.
Un beau cheval galope, à flottante crinière
Sur la plaque d'étain que notre homme a poli
Ce matin même encore avec du tripoli
Et qui de son emploi fort pittoresque insigne
Orne ses pectoraux d'un air tout-à-fait digne.
À cette plaque pend un sifflet. sur le zinc
Vite il boit. L'omnibus s'ébranle. Clinc, clinc, clinc
Pour chaque voyageur, (Mystérieux système !)
Il tire la ficelle, on arrête, et lui-même
Aide très galamment les dames à monter.

Premiers poèmes

Complainte de la lune en province

Ah ! La belle pleine Lune,
Grosse comme une fortune !

La retraite sonne au loin,
Un passant, monsieur l'adjoint ;

Un clavecin joue en face,
Un chat traverse la place :

La province qui s'endort !
Plaquant un dernier accord,

Le piano clôt sa fenêtre.
Quelle heure peut-il bien être ?

Calme Lune, quel exil !
Faut-il dire : ainsi soit-il ?

Lune, ô dilettante Lune,
À tous les climats commune,

Tu vis hier le Missouri,
Et les remparts de Paris,

Les fiords bleus de la Norvège,
Les pôles, les mers, que sais-je ?

Lune heureuse ! Ainsi tu vois,
À cette heure, le convoi

De son voyage de noce !
Ils sont partis pour l'Écosse.

Quel panneau, si, cet hiver,
Elle eût pris au mot mes vers !

Lune, vagabonde Lune,
Faisons cause et mœurs communes ?

Ô riches nuits ! Je me meurs,
La province dans le cœur !

Et la Lune a, bonne vieille,
Du coton dans les oreilles.

Les Complaintes

Spleen

Sonnet

Tout m'ennuie aujourd'hui. J'écarte mon rideau.
En haut ciel gris rayé d'une éternelle pluie,
En bas la rue où dans une brume de suie
Des ombres vont, glissant parmi les flaques d'eau.

Je regarde sans voir fouillant mon vieux cerveau,
Et machinalement sur la vitre ternie
Je fais du bout du doigt de la calligraphie.
Bah ! sortons, je verrai peut-être du nouveau.

Pas de livres parus. Passants bêtes. Personne.
Des fiacres, de la boue, et l'averse toujours…
Puis le soir et le gaz et je rentre à pas lourds…

Je mange, et bâille, et lis, rien ne me passionne…
Bah ! Couchons-nous. – Minuit. Une heure. Ah !
                                        [chacun dort !
Seul, je ne puis dormir et je m'ennuie encor.

7 novembre 1880
Le Sanglot de la terre

Charles Van Lerberghe
(1861 – 1907)

Ma sœur la Pluie

Ma sœur la Pluie,
La belle et tiède pluie d'été,
Doucement vole, doucement fuit,
À travers les airs mouillés.

Tout son collier de blanches perles
Dans le ciel bleu s'est délié.
Chantez les merles,
Dansez les pies !
Parmi les branches qu'elle plie,
Dansez les fleurs, chantez les nids
Tout ce qui vient du ciel est béni.

De ma bouche elle approche
Ses lèvres humides de fraises des bois ;
Rit, et me touche,
Partout à la fois,
De ses milliers de petits doigts.

Sur des tapis de fleurs sonores,
De l'aurore jusqu'au soir,
Et du soir jusqu'à l'aurore,
Elle pleut et pleut encore,
Autant qu'elle peut pleuvoir.

Puis, vient le soleil qui essuie,
De ses cheveux d'or,
Les pieds de la Pluie.

La chanson d'Ève

Jules Renard
(1864 – 1910)

Le chasseur d'images

Il saute du lit de bon matin, et ne part que si son esprit est net, son cœur pur, son corps léger comme un vêtement d'été. Il n'emporte point de provisions. Il boira l'air frais en route et reniflera les odeurs salubres. Il laisse ses armes à la maison et se contente d'ouvrir les yeux. Les yeux servent de filets où les images s'emprisonnent d'elles-mêmes.

La première qu'il fait captive est celle du chemin qui montre ses os, cailloux polis, et ses ornières, veines crevées, entre deux haies riches de prunelles et de mûres.

Il prend ensuite l'image de la rivière. Elle blanchit aux coudes et dort sous la caresse des saules. Elle miroite quand un poisson tourne le ventre, comme si on jetait une pièce d'argent, et, dès que tombe une pluie fine, la rivière a la chair de poule.

Il lève l'image des blés mobiles, des luzernes appétissantes et des prairies ourlées de ruisseaux. Il saisit au passage le vol d'une alouette ou d'un chardonneret.

Puis il entre au bois. Il ne se savait pas doué de sens si délicats. Vite imprégné de parfums, il ne perd aucune sourde rumeur, et, pour qu'il communique avec les arbres, ses nerfs se lient aux nervures des feuilles.

Bientôt, vibrant jusqu'au malaise, il perçoit trop, il fermente, il a peur, quitte le bois et suit de loin les paysans mouleurs regagnant le village.

Dehors, il fixe un moment, au point que son œil éclate, le soleil qui se couche et dévêt sur l'horizon ses lumineux habits, ses nuages répandus pêle-mêle.

Enfin, rentré chez lui, la tête pleine, il éteint sa lampe et longuement, avant de s'endormir, il se plaît à compter ses images.

Dociles, elles renaissent au gré du souvenir. Chacune d'elles en éveille une autre, et sans cesse leur troupe phosphorescente s'accroît de nouvelles venues, comme des perdrix poursuivies et divisées tout le jour chantent le soir, à l'abri du danger, et se rappellent aux creux des sillons.

Le ver

En voilà un qui s'étire et qui s'allonge comme une belle nouille.

Le ver luisant

I

Que se passe-t-il ? Neuf heures du soir et il y a encore de la lumière chez lui.

II

Cette goutte de lune dans l'herbe !

Les fourmis

Chacune d'elles ressemble au chiffre 3. Et il y en a ! Il y en a ! Il y en a 3333333333333333… jusqu'à l'infini.

Le hanneton

I

Un bourgeon tardif s'ouvre et s'envole du marronier.

II

Plus lourd que l'air, à peine dirigeable, têtu et ronchonnant, il arrive tout de même au but avec ses ailes en chocolat.

La puce

Un grain de tabac à ressort.

Le papillon

Ce billet doux plié en deux cherche une adresse de fleur.

L'écureuil

Leste allumeur de l'automne, il passe et repasse sous les feuilles la petite torche de sa queue.

Les hirondelles

Elles me donnent ma leçon de chaque jour.
Elles pointillent l'air de petits cris.
Elles tracent une raie droite, posent une virgule au bout, et, brusquement, vont à la ligne.
Elles mettent entre folles parenthèses la maison où j'habite.
Trop vives pour que la pièce d'eau du jardin prenne copie de leur vol, elles montent de la cave au grenier.
D'une plume d'aile légère, elles bouclent d'inimitables parafes.
Puis, deux à deux, en accolade, elles se joignent, se mêlent, et, sur le bleu du ciel, elles font tache d'encre.
Mais l'œil d'un ami peut seul les suivre, et si vous savez le grec et le latin, moi je sais lire l'hébreu que décrivent dans l'air les hirondelles de cheminée.

Le corbeau

I

L'accent grave sur le sillon.

II

« Quoi ? quoi ? quoi ?
— Rien ! »

Nouvelle lune

L'ongle de la lune repousse.
Le soleil a disparu. On se retourne : la lune est là. Elle
suivait, sans rien dire, modeste et patiente imitatrice.
La lune exacte est revenue. L'homme attendait, le cœur
comprimé dans les ténèbres, si heureux de la voir qu'il
ne sait plus ce qu'il voulait lui dire.
De gros nuages blancs s'approchent de la pleine lune
comme des ours d'un gâteau de miel.
Le rêveur s'épuise à regarder la lune sans aiguilles et
qui ne marque rien, jamais rien.
On se sent tout à coup mal à l'aise. C'est la lune qui
s'éloigne et emporte nos secrets. On voit encore à
l'horizon le bout de son oreille.

Histoires naturelles

Henri de Régnier
(1864 – 1936)

Odelette I

Un petit roseau m'a suffi
Pour faire frémir l'herbe haute
Et tout le pré
Et les deux saules
Et le ruisseau qui chante aussi ;
Un petit roseau m'a suffi
À faire chanter la forêt.

Ceux qui passent l'ont entendu
Au fond du soir, en leurs pensées
Dans le silence et dans le vent,
Clair ou perdu,
Proche ou lointain…
Ceux qui passent en leurs pensées
En écoutant, au fond d'eux-mêmes
L'entendront encore et l'entendent
Toujours qui chante.

Il m'a suffi
De ce petit roseau cueilli
À la fontaine où vint l'Amour
Mirer, un jour,
Sa face grave
Et qui pleurait,
Pour faire pleurer ceux qui passent
Et trembler l'herbe et frémir l'eau ;

Et j'ai du souffle d'un roseau
Fait chanter toute la forêt.

Les Jeux rustiques et divins

❧ • ❧

Odelette II

Si j'ai parlé
De mon amour, c'est à l'eau lente
Qui m'écoute quand je me penche
Sur elle ; si j'ai parlé
De mon amour, c'est au vent
Qui rit et chuchote entre les branches ;
Si j'ai parlé de mon amour, c'est à l'oiseau
Qui passe et chante

Avec le vent ;
Si j'ai parlé
C'est à l'écho,

Si j'ai aimé de grand amour,
Triste ou joyeux,
Ce sont tes yeux ;
Si j'ai aimé de grand amour,
Ce fut ta bouche grave et douce,
Ce fut ta bouche ;
Si j'ai aimé de grand amour,
Ce furent ta chair tiède et tes mains fraîches,
Et c'est ton ombre que je cherche.

Les Jeux rustiques et divins

❧ • ❧

Le jardin mouillé

La croisée est ouverte ; il pleut
Comme minutieusement,
À petit bruit et peu à peu,
Sur le jardin frais et dormant.

Feuille à feuille, la pluie éveille
L'arbre poudreux qu'elle verdit ;
Au mur, on dirait que la treille
S'étire d'un geste engourdi.

L'herbe frémit, le gravier tiède
Crépite et l'on croirait là-bas
Entendre sur le sable et l'herbe
Comme d'imperceptibles pas.

Le jardin chuchote et tressaille,
Furtif et confidentiel ;
L'averse semble maille à maille
Tisser la terre avec le ciel.

Il pleut, et les yeux clos, j'écoute,
De toute sa pluie à la fois,
Le jardin mouillé qui s'égoutte
Dans l'ombre que j'ai faite en moi.

Les Médailles d'argile

Élégie

Je ne vous parlerai que lorsqu'en l'eau profonde,
Votre visage pur se sera reflété,
Et lorsque la fraîcheur fugitive de l'onde,

Vous aura dit le peu que dure la beauté.
Il faudra que vos mains pour en être odorantes,
Aient cueilli le bouquet des heures, et tout bas,
Qu'en ayant respiré les âmes différentes,
Vous soupiriez encore mais ne souriez pas.
Il faudra que le bruit des divines abeilles,
Qui volent dans l'air tiède et pèsent sur les feuilles,
Ait longuement vibré au fond de vos oreilles,
Son rustique murmure et sa chaude rumeur.
Je ne vous parlerai que quand l'odeur des roses,
Fera frémir un peu votre bras sur le mien,
Et lorque la douceur qu'épand le soir des choses,
Sera entrée en vous avec l'ombre qui vient.
Et vous ne saurez plus, tant l'heure sera tendre,
Des baumes de la nuit et des senteurs du soir,
Si c'est le vent qui rôde ou la feuille qui tremble,
Ma voix ou votre voix ou la voix de l'Amour.

Odes et poésies

Le départ

Je n'emporte avec moi sur la mer sans retour
Qu'une rose cueillie à notre long amour.
J'ai tout quitté ; mon pas laisse encore sur la grève
Empreinte au sable insoucieux sa trace brève
Et la mer en montant aura vite effacé
Ce vestige incertain qu'y laissa mon passé.
Partons ! que l'âpre vent en mes voiles tendues
Souffle et m'entraîne loin de la terre perdue
Là-bas. Qu'un autre pleure en fuite à l'horizon
La tuile rouge encore au toit de sa maison,
Là-bas, diminuée et déjà si lointaine !
Qu'il regrette le clos, le champ et la fontaine !

Moi je ferme la porte et je ne pleure pas.
Et puissent, si les dieux me mènent au trépas,
Les flots m'ensevelir en la tombe que creuse
Au voyageur la mer perfide et dangereuse !
Car je mourrai debout comme tu m'auras vu,
Sur la proue, au départ, heureux et gai pourvu
Que la rose à jamais de mon amour vivant
Embaume la tempête et parfume le vent.

Odes et poésies

Le bonheur

Si tu veux être heureux, ne cueille pas la rose
Qui te frôle au passage et qui s'offre à ta main ;
La fleur est déjà morte à peine est-elle éclose.
Même lorsque sa chair révèle un sang divin.

N'arrête pas l'oiseau qui traverse l'espace ;
Ne dirige vers lui ni flèche, ni filet
Et contente tes yeux de son ombre qui passe
Sans les lever au ciel où son aile volait ;

N'écoute pas la voix qui te dit : « Viens ». N'écoute
Ni le cri du torrent, ni l'appel du ruisseau ;
Préfère au diamant le caillou de la route ;
Hésite au carrefour et consulte l'écho.

Prends garde... Ne vêts pas ces couleurs éclatantes
Dont l'aspect fait grincer les dents de l'envieux ;
Le marbre du palais, moins que le lin des tentes
Rend les réveils légers et les sommeils heureux.

Aussi bien que les pleurs, le rire fait les rides.
Ne dis jamais : Encore, et dis plutôt : Assez...
Le Bonheur est un Dieu qui marche les mains vides
Et regarde la Vie avec des yeux baissés !

Revue de Paris, 1er octobre 1912

Paul-Jean Toulet
(1867 – 1920)

Nocturne

Ô mer, toi que je sens frémir
À travers la nuit creuse,
Comme le sein d'une amoureuse
Qui ne peut pas dormir ;

Le vent lourd frappe la falaise...
Quoi ! si le chant moqueur
D'une sirène est dans mon cœur –
Ô cœur, divin malaise.

Quoi, plus de larmes, ni d'avoir
Personne qui vous plaigne...
Tout bas, comme d'un flanc qui saigne,
Il s'est mis à pleuvoir.

Contrerimes

La Cigale

Quand nous fûmes hors des chemins
        Où la poussière est rose,
Aline, qui riait sans cause
        En me touchant les mains ; –

L'Écho du bois riait. La terre
    Sonna creux au talon.
Aline se tut : le vallon
    Était plein de mystère...

Mais toi, sans lymphe ni sommeil,
    Cigale en haut posée,
Tu jetais, ivre de rosée,
    Ton cri triste et vermeil.

Contrerimes

Sur le canal Saint-Martin glisse...

Dizain

Sur le canal Saint-Martin glisse,
Lisse et peinte comme un joujou,
Une péniche en acajou,
Avec ses volets à coulisse,
Un caillebot au minium,
Et deux pots de géranium
Pour la Picarde, en bas, qui trôle.

Je rêve d'un soir rouge d'or,
Et d'un lougre hindou qui s'endort :
— Siffle la brise... eh toi ! créole.

Dixains

Puisque tes jours ne t'ont laissé…

Dizain

Puisque tes jours ne t'ont laissé
Qu'un peu de cendre dans la bouche,
Avant qu'on ne tende la couche
Où ton cœur dorme, enfin glacé,
Retourne, comme au temps passé,
Cueillir, près de la dune instable,
Le lys qu'y courbe un souffle amer,
— Et grave ces mots sur le sable :
Le rêve de l'homme est semblable
Aux illusions de la mer.

Dixains

Réveil

Si tu savais encor te lever de bonne heure,
On irait jusqu'au bois, où, dans cette eau qui pleure
Poursuivant la rainette, un jour, dans le cresson
Tremblante, tes pieds nus ont leur nacre baignée.
Déjà le rossignol a tari sa chanson ;
L'aube a mis sa rosée aux toiles d'araignée,
Et l'arme du chasseur, avec un faible son,
Perce la brume, au loin, de soleil imprégnée.

Chansons

Aimez-vous le passé...

Aimez-vous le passé
Et rêver d'histoires
Évocatoires
Aux contours effacés ?

Les vieilles chambres
Veuves de pas
Qui sentent tout bas
L'iris et l'ambre ;

La pâleur des portraits,
Les reliques usées
Que des morts ont baisées,
Chère, je voudrais

Qu'elles vous soient chères,
Et vous parlent un peu
D'un cœur poussiéreux
Et plein de mystère.

Chansons

Pierre Louÿs
(1870 – 1925)

La pluie

La pluie fine a mouillé toutes choses, très doucement, et en silence. Il pleut encore un peu. Je vais sortir sous les arbres. Pieds nus, pour ne pas tacher mes chaussures.

La pluie au printemps est délicieuse. Les branches chargées de fleurs mouillées ont un parfum qui m'étourdit. On voit briller au soleil la peau délicate des écorces.

Hélas ! que de fleurs sur la terre ! Ayez pitié des fleurs tombées. Il ne faut pas les balayer et les mêler dans la boue ; mais les conserver aux abeilles.

Les scarabées et les limaces traversent le chemin entre les flaques d'eau ; je ne veux pas marcher sur eux, ni effrayer ce lézard doré qui s'étire et cligne des paupières.

Les Chansons de Bilitis

La lune aux yeux bleus

La nuit, les chevelures des femmes et les branches des saules se confondent. Je marchais au bord de l'eau. Tout à coup, j'entendis chanter : alors seulement je reconnus qu'il y avait là des jeunes filles.

Je leur dis : « Que chantez-vous ? » Elles répondirent : « Ceux qui reviennent ». L'une attendait son père et l'autre son frère ; mais celle qui attendait son fiancé était la plus impatiente.

Elles avaient tressé pour eux des couronnes et des guirlandes, coupé des palmes aux palmiers et tiré des lotus de l'eau. Elles se tenaient par le cou et chantaient l'une après l'autre.

Je m'en allai le long du fleuve, tristement, et toute seule, mais en regardant autour de moi, je vis que derrière les grands arbres la lune aux yeux bleus me reconduisait.

Les Chansons de Bilitis

Henry Bataille
(1872 – 1922)

Les souvenirs

Les souvenirs, ce sont des chambres sans serrures,
Des chambres vides où l'on n'ose plus entrer,
Parce que de vieux parents jadis y moururent.
On vit dans la maison où ces chambres sont closes.
On sait qu'elles sont là comme à leur habitude,
Et c'est la chambre bleue, et c'est la chambre rose...
La maison se remplit ainsi de solitude,
Et l'on y continue à vivre en souriant...
J'accueille quand il veut le souvenir qui passe,
Je lui dis : « Mets-toi là... Je reviendrai te voir... »
Je sais toute ma vie qu'il est bien à sa place,
Mais j'oublie quelquefois de revenir le voir,
Ils sont ainsi beaucoup dans la vieille demeure.
Ils se sont résignés à ce qu'on les oublie,
Et si je ne viens pas ce soir ni tout-à-l'heure,
Ne demandez pas à mon cœur plus qu'à la vie...
Je sais qu'ils dorment là, derrière les cloisons,
Je n'ai plus le besoin d'aller les reconnaître ;
De la route je vois leurs petites fenêtres,
Et ce sera jusqu'à ce que nous en mourions.
Pourtant je sens parfois, aux ombres quotidiennes,
Je ne sais quelle angoisse froide, quel frisson,
Et ne comprenant pas d'où ces douleurs proviennent,
Je passe...
Or, chaque fois, c'est un deuil qui se fait
Un trouble est en secret venu nous avertir

Qu'un souvenir est mort ou qu'il s'en est allé...
On ne distingue pas très bien quel souvenir,
Parce qu'on est si vieux, on ne se souvient guère...
Pourtant je sens en moi se fermer des paupières.

Le beau voyage

Les trains rêvent dans la rosée, au fond des gares...
Ils rêvent des heures, puis grincent et démarrent...
J'aime ces trains mouillés qui passent dans les
[champs,
Ces longs convois de marchandises bruissant,
Qui pour la pluie ont mis leurs lourds manteaux de
[bâches,
Ou qui forment la nuit entière dans les garages...
Et les trains de bestiaux où beuglent mornement
Des bêtes qui se plaignent au village natal...
Tous ces rands wagons gris, hermétiques et clos,
Dont le silence luit sous l'averse automnale,
Avec leurs inscriptions effacées, leurs repos
Infinis, leurs nuits abandonnées, leurs vitres pâles...

Alfred Jarry
(1873 – 1907)

Le vélin écrit rit et grimace, livide…

Sonnet

Le vélin écrit rit et grimace, livide.
Les signes sont dansants et fous. Les uns, flambeaux,
Pétillent radieux dans une page vide.
D'autres en rangs pressés, acrobates corbeaux,

Dans la neige épandue ouvrent leur bec avide.
Le livre est un grand arbre émergé des tombeaux.
Et ses feuilles, ainsi que d'un sac qui se vide,
Volent au vent vorace et partent par lambeaux.

Et son tronc est humain comme la mandragore ;
Ses fruits vivants sont les fèves de Pythagore ;
Des feuillets verdoyants lui poussent en avril,

Et les prédictions d'or qu'il emmagasine,
Seul le nécromant peut les lire sans péril,
La nuit, à la lueur des torches de résine.

Les Minutes

Le homard et la boîte de corned-beef
que portait le docteur Faustroll en sautoir

Fable

Une boîte de corned-beef, enchaînée comme une
                                          [lorgnette,
Vit passer un homard qui lui ressemblait
                                     [fraternellement.
Il se cuirassait d'une carapace dure
Sur laquelle était écrit à l'intérieur, comme elle, il
                                   [était sans arêtes,
(*Boneless and economical*) ;
Et sous sa queue repliée
Il cachait vraisemblablement une clé destinée à
                                   [l'ouvrir.
Frappé d'amour, le corned-beef sédentaire
Déclara à la petite boîte automobile de conserves
                                   [vivante
Que si elle consentait à s'acclimater,
Près de lui, aux devantures terrestres,
Elle serait décorée de plusieurs médailles d'or.

Gestes et Opinions du docteur Faustroll, pataphysicien

Anna de Noailles
(1876 – 1933)

Il fera longtemps clair ce soir…

Il fera longtemps clair ce soir, les jours allongent,
La rumeur du jour vif se disperse et s'enfuit,
Et les arbres, surpris de ne pas voir la nuit,
Demeurent éveillés dans le soir blanc, et songent…

Les marronniers, sur l'air plein d'or et de lourdeur,
Répandent leurs parfums et semblent les étendre ;
On n'ose pas marcher ni remuer l'air tendre
De peur de déranger le sommeil des odeurs.

De lointains roulements arrivent de la ville…
La poussière, qu'un peu de brise soulevait,
Quittant l'arbre mouvant et las qu'elle revêt,
Redescend doucement sur les chemins tranquilles.

Nous avons tous les jours l'habitude de voir
Cette route si simple et si souvent suivie,
Et pourtant quelque chose est changé dans la vie,
Nous n'aurons plus jamais notre âme de ce soir…

Le Cœur innombrable

Chaleur

Tout luit, tout bleuit, tout bruit,
Le jour est brûlant comme un fruit
Que le soleil fendille et cuit.

Chaque petite feuille est chaude
Et miroite dans l'air où rôde
Comme un parfum de reine-claude.

Du soleil comme de l'eau pleut
Sur tout le pays jaune et bleu
Qui grésille et oscille un peu.

Un infini plaisir de vivre
S'élance de la forêt ivre,
Des blés roses comme du cuivre.

L'Ombre des jours

Le jardin et la maison

Voici l'heure où le pré, les arbres et les fleurs
Dans l'air dolent et doux soupirent leurs odeurs.

Les baies du lierre obscur où l'ombre se recueille
Sentant venir le soir se couchent sur leurs feuilles,

Le jet d'eau du jardin, qui monte et redescend,
Fait dans le bassin clair son bruit rafraîchissant ;

La paisible maison respire au jour qui baisse
Les petits orangers fleurissent dans leurs caisses.

Le feuillage qui boit les vapeurs de l'étang
Lassé des feux du jour s'apaise et se détend.

Peu à peu la maison entr'ouvre ses fenêtres
Où tout le soir vivant et parfumé pénètre,

Et comme elle, penché sur l'horizon, mon cœur
S'emplit d'ombre, de paix, de rêve et de fraîcheur...

L'Ombre des jours

Renée Vivien
(1877 – 1909)

Chanson pour mon ombre

Droite et longue comme un cyprès,
Mon ombre suit, à pas de louve,
Mes pas que l'aube désapprouve.
Mon ombre marche à pas de louve,
Droite et longue comme un cyprès.

Elle me suit, comme un reproche,
Dans la lumière du matin.
Je vois en elle mon destin
Qui se resserre et se rapproche.
À travers champs, par les matins,
Mon ombre suit, comme un reproche.

Mon ombre suit, comme un remords,
La trace de mes pas sur l'herbe
Lorsque je vais, portant ma gerbe,
Vers l'allée où gîtent les morts.
Mon ombre suit mes pas sur l'herbe,
Implacable comme un remords.

La Vénus des aveugles

Guillaume Apollinaire
(1880 – 1918)

« la colombe poignardée et le jet d'eau », in *Calligrammes*
© Éditions Gallimard.

Douces figures poignardées Chères lèvres fleuries
MYA MAREYE
YETTE LORIE
ANNIE et toi MARIE
Où êtes-vous ô jeunes filles
Mais près d'un jet d'eau qui pleure et qui prie
Cette colombe s'extasie

Tous les souvenirs de naguère
Ô mes amis partis en guerre
Jaillissent vers le firmament
Et vos regards en l'eau dormant
Meurent mélancoliquement
Où sont-ils Braque et Max Jacob
Derain aux yeux gris comme l'aube
Où sont Raynal Billy Dalize
Dont les noms se mélancolisent
Comme des pas dans une église
Où est Cremnitz qui s'engagea
Peut-être sont-ils morts déjà
De souvenirs mon âme est pleine
Le jet d'eau pleure sur ma peine.
Ceux qui sont partis à la guerre au Nord se battent
                                        [maintenant
Le soir tombe Ô sanglante mer
Jardins où saigne abondamment le laurier rose fleur
                                        [guerrière.

Pour découvrir le haïku...

Bashô Matsuo
(1644 – 1695)

Épanouie au bord de la route
Cette rose trémière
Broutée par mon cheval

Rien ne dit
dans le chant de la cigale
qu'elle est près de sa fin

kono aki wa   Cet automne-ci
nande toshiyoru   pourquoi donc dois-je vieillir ?
kumo ni tori   oiseau dans les nuages

Un éclair
Dans l'obscurité éclate
Le cri du héron

Du cœur de la pivoine
L'abeille sort
Avec quel regret

De temps en temps les nuages
Nous reposent
De tant regarder la lune

Shiki Masaoka
(1867 – 1902)

L'herbe des champs
Libère sous mes semelles
Son parfum

Bourrasque d'été
Les nappes de papier blanc
Sur la table s'envolent

Du sable entre les doigts
Les nuages s'écoulent
Automne des matins

Cri d'oie sauvage
Blanches dans les rochers
Les vagues de la nuit

APOLLINAIRE Guillaume (1880 – 1918)

Né à Rome de père inconnu (peut-être un officier italien), Guillaume Apollinaire de Kostrowitzky est le fils d'une aristocrate polonaise, Angelica de Kostrowitzky. Arrivé à Monaco en 1897, il est inscrit aux lycées de Cannes puis de Nice. En 1901 – 1902, il est précepteur dans une famille allemande. De retour à Paris, il travaille pour divers organismes boursiers et commence à publier contes et poèmes dans des revues. Il se lie d'amitié avec Pablo Picasso, André Derain, Maurice de Vlaminck et le Douanier Rousseau. Il se fait remarquer comme poète, conférencier, critique d'art et journaliste (il collabore à la revue avant-gardiste *SIC*, créée par Pierre Albert-Birot, avec, entre autres, Louis Aragon, Tristan Tzara et Philippe Soupault). En 1911, il publie *Le Bestiaire ou Cortège d'Orphée* et en 1913 *Alcools*, somme de son travail poétique depuis 1898. Il s'engage dans l'armée française en 1914 et part au front. Malgré les menaces permanentes de la guerre, il écrit dès qu'il le peut pour « tenir » et rester poète. Enfin naturalisé français, il est blessé à la tempe par un éclat d'obus le 17 mars 1916, alors qu'il lit *Le Mercure de France* dans sa tranchée. Évacué à Paris, il est trépané le 10 mai. Après une longue convalescence, il se remet progressivement au travail, fait jouer sa pièce *Les Mamelles de Tirésias* (sous-titrée

« drame surréaliste ») en 1917 et publie ses *Calligrammes* en 1918. Affaibli par sa blessure, il meurt le 9 novembre 1918 de la grippe espagnole.

ALLAIS Alphonse (1854 – 1905)

Né à Honfleur, journaliste et écrivain, il a mené diverses recherches scientifiques (la photographie couleur, le café lyophilisé, la synthèse du caoutchouc), mais est surtout resté célèbre pour son humour et son goût de l'absurde. Membre du « mouvement Fumiste », du « Club des Hydropathes » (étymologiquement, « ceux que l'eau rend malades »), il est un pilier du cabaret parisien le Chat noir dont il dirige la revue. Au salon des Arts Incohérents, il présente des « toiles monochromes » (*Combat de nègres dans une cave pendant la nuit*, *Récolte de la tomate sur le bord de la mer rouge par des cardinaux apoplectiques*) ; il est l'auteur de la première composition musicale minimaliste : sa *Marche Funèbre composée pour les Funérailles d'un grand homme sourd* est une page de composition vierge parce que « les grandes douleurs sont muettes ». Il a écrit des centaines de contes humoristiques et a créé le poème « holorime ».

ARVERS Félix (1806 – 1850)

Né à Paris, fils d'un marchand de vins, il fait des études de droit et devient clerc de notaire, tout en rêvant d'une carrière littéraire. Il fait jouer une douzaine de comédies légères, mène une existence de dandy, fréquente Alfred de Musset et le Cénacle de l'Arsenal animé par Charles Nodier. En 1833, il publie un recueil de poèmes intitulé *Mes Heures perdues*. Son sonnet « Un secret » (« Mon âme a son secret, ma vie a son mystère… »), dit « sonnet d'Arvers », obtient un succès fulgurant : il est resté comme l'une des pièces poétiques les plus populaires de son siècle. Cependant, Félix Arvers meurt pauvre et oublié.

BANVILLE (de) Théodore (1823 – 1891)

Né à Moulins dans l'Allier, il fait ses études au lycée Condorcet à Paris. Encouragé par Victor Hugo et par Théophile Gautier, il se tourne vers la poésie et fréquente les milieux littéraires anticonformistes. Il se fait l'adversaire acharné de la nouvelle poésie « réaliste », mais aussi du romantisme larmoyant. Il collabore à divers journaux comme chroniqueur littéraire et devient membre de *La Revue fantaisiste* (1861), où se retrouvent les poètes qui sont à l'origine du Parnasse. Admiré et souvent imité par toute une génération de jeunes poètes de la seconde moitié du XIXe siècle, il publie divers recueils : *Les Cariatides* (1843), salué par Baudelaire ; *Les Stalactites* (1846) ; *Odelettes* (1856) ; *Odes funambulesques* (1857) ; *Les Exilés* (1867). En 1870, il découvre le talent du jeune Arthur Rimbaud ; il s'occupe aussi de la troisième édition des *Fleurs du mal* de Baudelaire.

BATAILLE Henry (1872 – 1922)

Né à Nîmes, il perd ses parents très tôt. Élevé par sa sœur, il fait des études artistiques et pense faire carrière dans le dessin et la peinture. Dans ce domaine, il a composé un album de lithographies *Têtes et pensées* (1901) où on retrouve les portraits des célébrités littéraires du début du XXe siècle (Jules Renard, André Gide, Octave Mirbeau, entre autres). Son œuvre poétique, souvent nostalgique, connaît un certain succès avant la Première Guerre mondiale. Il meurt en 1922 à Rueil-Malmaison dans sa propriété du « Vieux Phare ».

BAUDELAIRE Charles (1821 – 1867)

Né à Paris, orphelin de père dès 1827, il supporte mal le remariage de sa mère : placé en pension à Lyon, puis au Lycée Louis-le-Grand à Paris, c'est un élève rêveur déjà atteint de « lourdes mélancolies ». Il admire les romantiques, se déclare disciple de Théophile Gautier et mène une vie de « dandy » bohème. Journaliste, critique d'art (*Salons*, 1845, 1846, 1859) et de littérature, traducteur des *Histoires extraordinaires* de l'Américain Edgar Allan Poe, il se forge sa propre esthétique de la « modernité ». En juin 1857 paraît son recueil poétique *Les Fleurs du Mal* : succès de scandale, procès pour immoralité et censure (le recueil est « expurgé » de six poèmes). Très affecté, Baudelaire publie cependant une seconde édition augmentée de trente-cinq pièces (1861). Miné par la maladie et la drogue, il est atteint d'un grave malaise (1866) qui le laisse aphasique et à demi paralysé. Il meurt à Paris en 1867. Ses *Petits Poèmes en prose* paraissent en édition posthume (1869).

BERTRAND Aloysius (1807 – 1841)

Fils d'un lieutenant de gendarmerie, Louis Jacques Napoléon Bertrand est né à Ceva dans le Piémont italien. Étudiant au collège royal de Dijon, il passe la plus grande partie de sa vie dans cette ville où il trouve l'inspiration poétique. Responsable d'un éphémère journal littéraire, *Le Provincial*, il publie les premiers vers d'Alfred de Musset, développe ses idées esthétiques à l'avant-garde du romantisme français, et compose une vingtaine de pièces en prose et en vers. Encouragé par les éloges de Victor Hugo et de Chateaubriand, il part pour Paris en 1828. Reçu dans le salon de Charles Nodier à l'Arsenal, il lit quelques-uns de ses textes en prose. Mais, pauvre et fier, il ne trouve pas sa place dans le groupe des romantiques parisiens ; en 1835, il décide de s'appeler Aloysius Bertrand. Tombé dans la misère, il survit grâce à de petits travaux littéraires ; il meurt de tuberculose à trente-quatre ans. Son *Gaspard de la nuit* est enfin publié à titre posthume en 1842. Baudelaire considère Bertrand comme l'inventeur du poème en prose. Les poètes symbolistes puis surréalistes l'ont ensuite fait passer du statut de « petit romantique » à celui d'auteur « culte ».

BOULMIER Joseph (1821 – 1892)

Poète et critique littéraire, il publie des *Odes saphiques* (1852), *Vieux livres, jeunes fleurs* dans le *Journal des Demoiselles* (1856), *Rimes Loyales* (1857), *Études sur le seizième siècle, Étienne Dolet, sa vie, ses œuvres, son martyre* (1857), *Les Villanelles* (1878).

BRIENNE (de) Jean (1170 ? – 1237)

Fils du comte champenois Érard II de Brienne, il est d'abord destiné à la vie religieuse, mais il devient chevalier et participe à la Quatrième Croisade, en 1204. Désigné par le roi Philippe Auguste pour être l'époux de Marie de Montferrat, reine de Jérusalem, il repart pour la Terre sainte en 1210. Veuf en 1212, il assume la régence pour sa fille, Yolande. Il dirige la Cinquième Croisade entreprise en Égypte en 1217 par les Francs de Palestine et il prend Damiette en 1219. En raison des désaccords qui règnent dans l'armée franque, il se retire ensuite à Acre ; il doit revenir en Égypte en 1221, mais cette fois il est vaincu et il restitue Damiette aux musulmans. Il quitte le royaume de Jérusalem : soutenu par le pape Grégoire IX, il tente d'envahir le royaume de Sicile, mais il est vaincu par son propre gendre et doit accepter la paix en août 1230. Les barons francs lui confient ensuite la régence de l'Empire romain d'Orient et il est couronné empereur à Constantinople en 1231. Il meurt dans cette ville en 1237.

CHATEAUBRIAND (de) François-René
(1768 – 1848)

Dernier enfant d'une vieille famille bretonne et catholique, il est né à Saint-Malo. À partir de 1777, il vit dans le château familial de Combourg. Destiné d'abord à la carrière de marin, selon la tradition familiale, il se sent attiré par la prêtrise et par la poésie. Il prend finalement un brevet de sous-lieutenant (1786), est présenté au roi Louis XVI à Versailles et fréquente les salons parisiens. D'abord séduit par la Révolution, il prend vite en horreur les violences qu'elle provoque. En 1791, il fait un voyage de plusieurs mois en Amérique du Nord. Puis, réfugié à Londres il publie son *Essai historique, politique et moral sur les révolutions anciennes, considérées dans leurs rapports avec la Révolution française* (1797). De retour en France, il connaît le succès avec *Atala, ou les Amours de deux sauvages dans le désert* (roman, 1801), *Le Génie du christianisme* et *René* (apologie et roman, 1802), *Les Martyrs* (épopée chrétienne, 1809). Élu à l'Académie française en 1811, il soutient la restauration monarchique. Ministre du roi Louis XVIII, il se montre critique à l'égard du gouvernement et abandonne la vie politique. Il se consacre alors à ses *Mémoires d'outre-tombe* (publiés entre 1849 et 1850). Il meurt à Paris en 1848 et, selon ses dernières volontés, il est inhumé sur le rocher du Grand-Bé, dans la rade de Saint-Malo.

CLÉMENT Jean-Baptiste (1837 – 1903)

Né à Boulogne-sur-Seine, fils d'un riche meunier, il rompt avec ses parents et gagne sa vie dès l'âge de quatorze ans comme ouvrier monteur en bronze. Par la suite, il exerce divers métiers (marchand de vins, terrassier, journaliste) et s'installe sur la Butte Montmartre à Paris. Militant pour la République, il connaît très tôt les prisons impériales sous Napoléon III. Orateur de talent, partisan convaincu de la Révolution du 4 septembre 1870, militant très actif lors de l'Insurrection parisienne du 18 mars 1871 (délégué à la Commune de Paris, il succède à Clemenceau en mai 1871 comme maire de Montmartre), il doit s'exiler à Londres pendant huit ans. De retour à Paris, il est délégué à la propagande par la Fédération des Travailleurs Socialistes. Ses poèmes, mis en musique et interprétés par Joseph Darcier, connaissent un vif succès. Sa fameuse chanson *Le Temps des cerises*, écrite en 1866, dédiée ensuite à une ambulancière de la Commune qui, en mai 1871, avait ravitaillé les combattants de la barricade de la rue de la Fontaine-au-Roi, reste l'un des plus beaux symboles de la lutte populaire.

COPPÉE François (1842 – 1908)

Né à Paris, employé de bureau au ministère de la Guerre, il est d'abord attiré par le mouvement parnassien, comme en témoigne son premier recueil poétique, *Le Reliquaire* (1866). Il se tourne ensuite vers une forme de poésie plus proche des réalités quotidiennes et propose des tableaux familiers, drôles ou touchants, de la grande ville moderne : *Intimités* (1868), *Les Humbles* (1872), *Le Cahier rouge* (1874), *Les Paroles sincères* (1891). C'est surtout au théâtre qu'il remporte ses plus grands succès publics, avec *Le Passant* (comédie en vers, 1869) et *Pour la couronne* (drame historique, 1895). Il est élu à l'Académie française en 1884.

CORBIÈRE Tristan (1845 – 1875)

Né près de Morlaix en Bretagne, fils d'un navigateur et écrivain célèbre, Édouard Corbière est laid, rachitique, presque difforme ; adolescent solitaire, il se nourrit de lectures (Villon, Musset, Hugo, Baudelaire). Sous le coup d'une passion sans espoir pour une actrice italienne, il part pour Paris où il mène une vie de bohème dorée. De manière très symbolique, il prend le prénom de Tristan pour son unique recueil, *Les Amours jaunes*, publié en 1873 et qui n'obtient pas de succès. En 1875, il est atteint de phtisie et sa mère le ramène en Bretagne, où il meurt à peine âgé de trente ans. Sensibles à son originalité poétique, les surréalistes verront en Corbière, révélé par Verlaine en 1883, l'un de leurs précurseurs.

CORNEILLE Pierre (1606 – 1684)

Il est né à Rouen dans une famille de magistrats. Après des études chez les Jésuites, il se détourne de la carrière juridique pour se consacrer à l'écriture de pièces de théâtre. Le triomphe du *Cid* (1637) fait de lui l'un des maîtres du classicisme. Ses comédies et tragédies jouées par la troupe de l'Hôtel de Bourgogne obtiennent de vifs succès. Élu à l'Académie française (1647), il connaît par la suite plusieurs échecs retentissants : un jeune rival ambitieux, Jean Racine, lui fait une sévère concurrence. En 1658, il compose ses *Stances* pour la célèbre comédienne Marquise-Thérèse Du Parc, que tous les auteurs courtisent. Malgré le soutien de Louis XIV, Corneille se retire définitivement de la vie théâtrale en 1674. Il meurt à Paris en 1684.

CROS Charles (1842 – 1888)

Né dans l'Aude, il est à la fois savant et poète érudit : il invente le premier phonographe qu'il présente à l'Académie des sciences en 1877 dans l'indifférence générale ; huit mois plus tard, c'est l'Américain Edison qui en tirera toute la gloire (aujourd'hui le prix de l'Académie Charles Cros récompense les meilleurs disques de l'année). Cros fréquente Verlaine, Rimbaud, le peintre Manet : malgré sa réputation d'amuseur méridional dans les milieux à la mode, ses poèmes (*Le coffret de santal*, 1873) passent inaperçus. Comme tant d'autres, il se réfugie dans l'absinthe ; il meurt dans la misère à Paris en 1888. C'est seulement après 1920 que son œuvre poétique (*Le collier de griffes*, publié en 1908) est réhabilitée par les surréalistes.

DÉSAUGIERS Marc-Antoine (1772 – 1827)

Né à Fréjus, fils d'un compositeur de renom, il se consacre aux lettres et à la musique, après avoir failli entrer dans les ordres. Pendant la Révolution, il s'expatrie d'abord à Saint-Domingue, où il manque d'être fusillé par les Noirs révoltés, puis en Amérique, à Philadelphie, où il donne des leçons de clavecin. De retour en France en 1797, il devient professeur de piano, chef d'orchestre et fournisseur attitré des petits théâtres à la mode, auxquels il donne une série de vaudevilles. En 1815, à la Restauration, il devient directeur du Théâtre du Vaudeville. Il est aussi connu comme chansonnier : ses chansons, pleines de verve et de bonne humeur, sont souvent de piquantes observations des mœurs du temps, comme *Paris à cinq heures du matin*.

DESBORDES-VALMORE Marceline (1786 – 1859)

Née à Douai, elle affirme très tôt ses dons d'artiste : cantatrice puis comédienne, elle connaît le succès au théâtre de la Monnaie à Bruxelles. En 1817, elle épouse un acteur, Valmore, avec qui elle mène une vie errante. À partir de 1819, elle se consacre à la poésie : son lyrisme mélancolique lui vaut un certain succès dans le mouvement romantique. Très éprouvée par les deuils familiaux (elle a la douleur de perdre trois enfants) et la solitude, elle meurt à Paris en 1859.

DU BELLAY Joachim (1522 – 1560)

Né au château de La Turmelière à Liré, près d'Angers, il appartient à une illustre famille noble.

Orphelin de bonne heure, maladif et mélancolique, il envisage une carrière diplomatique ou militaire, mais sa surdité l'oblige à y renoncer pour des études de droit à Poitiers. En 1546, il fait la connaissance de Ronsard qu'il accompagne à Paris, où il suit les leçons de l'humaniste Dorat au Collège de Coqueret. Il participe alors à la création de la « Brigade », première forme du fameux cercle poétique de la « Pléiade ». En 1549, il publie coup sur coup divers poèmes (*L'Olive*) et sa *Défense et Illustration de la langue française* ; en 1553, il part pour l'Italie comme secrétaire de son oncle cardinal nommé ambassadeur à Rome. Son séjour de quatre ans nourrit son œuvre (*Les Antiquités de Rome*, 1558), mais le déçoit beaucoup (*Les Regrets*, 1558). Rentré à Paris, accablé par les soucis et la maladie, il meurt en 1560.

FABRE D'ÉGLANTINE (1755 – 1794)
Né dans l'Aude, fils d'un marchand drapier, Philippe Nazaire François Fabre fut surnommé Fabre d'Églantine à cause d'une fleur d'or (un lys) qu'il avait gagnée aux Jeux floraux de Toulouse. Auteur-comédien ambulant, il arrive à Paris en 1787 où il connaît le succès comme dramaturge (*Philinte de Molière ou la Suite du Misanthrope*, 1790 ; *Les Précepteurs*, 1794). La romance populaire *Il pleut, il pleut bergère* est tirée de l'une de ses opérettes. Le calendrier républicain adopté par l'Assemblée le 25 octobre 1793 est aussi son œuvre. Ami de Danton, pris dans le tourbillon de la Révolution, il est arrêté en mars 1794 et guillotiné le 5 avril, en même temps que Danton.

FLORIAN (de) Jean-Pierre Claris (1755 – 1794)
Né près de Sauve dans le Gard, dans une famille de tradition militaire, petit-neveu de Voltaire, il s'oriente d'abord vers la carrière des armes. Cependant, encouragé par son grand-oncle, il décide de se

consacrer à la littérature, grâce à la protection du duc de Penthièvre. Ses premières œuvres sont de la veine bucolique et idyllique héritée de Rousseau : en 1783, il publie une *Galatée* imitée de Cervantès, en 1788 une pastorale cévenole, *Estelle et Némorin*. Il écrit aussi deux romans chevaleresques, *Numa Pompilius* (1786) et *Gonzalve de Cordoue* (1791), ainsi que des comédies où il met en scène un Arlequin naïf. Mais il est surtout célèbre pour ses *Fables* (1792), plus moralisatrices que celles de La Fontaine. En 1788, il entre à l'Académie française. Arrêté puis relâché après le 9 Thermidor, il meurt des suites de sa captivité.

FROISSART Jean (1337 ? – 1410 ?)

Né à Valenciennes, clerc cultivé, il se rend en en Angleterre (1361), où il est nommé secrétaire de la reine Philippa de Hainault, épouse d'Édouard III d'Angleterre. Il voyage beaucoup (Écosse, Bruxelles, France, Italie) et collecte des informations sur les événements contemporains. Vers 1372, il entre dans les ordres : il est ordonné prêtre du village de Lestines, dans le diocèse de Liège. Entre 1372 et 1384, il compose un roman arthurien en vers, *Méliador*, et travaille à l'œuvre de sa vie : la *Chronique de France, d'Angleterre, d'Écosse et d'Espagne* (souvent nommée *Chroniques*). Devenu chanoine de Chimay (Belgique) en 1384, il reprend ses voyages tout en continuant à rédiger sa chronique, qui va de 1323 à la fin du XIVe siècle. Froissart accorde une place importante aux sources orales à une époque où le travail des historiographes consistait surtout en la compilation de documents.

GAUTIER Théophile (1811 – 1872)

Né à Tarbes, il fait ses études au Collège Charlemagne à Paris où il se lie d'une très vive amitié avec Gérard de Nerval. D'abord attiré par la peinture, il rencontre Victor Hugo pour qui il éprouve la plus grande admiration. Ardent partisan du romantisme, il se jette dans la fameuse « bataille » d'*Hernani* avec son gilet rouge ; il confirme le succès de ses premières poésies (1830) avec *Mademoiselle de Maupin* (roman, 1835). Devenu journaliste par nécessité, il est reconnu comme le maître d'un art poétique qui exalte la beauté de la forme au détriment de l'émotion (*Émaux et Camées*, 1852). Devenu le chef de file du mouvement parnassien, il écrit de nombreux romans et nouvelles historiques et fantastiques (*Le Roman de la momie*, 1858). Il meurt à Neuilly en 1872.

GRANDSON (de) Othon (1340 ? – 1397)

Seigneur du pays de Vaud en Suisse, homme de guerre et de tournois, croisé en Orient et en Poméranie, c'est un chevalier-poète durant la guerre de Cent Ans. Très renommé pour sa bravoure, il obtient le grade de capitaine à la cour d'Angleterre. Ses ballades et complaintes sont remarquées par Chaucer, l'auteur des *Contes de Canterbury*, et par Christine de Pisan. Devenu conseiller de la Maison de Savoie, il est injustement accusé d'avoir empoisonné Amédée VII de Savoie. Il meurt à Bourg-en-Bresse dans un duel judiciaire truqué.

HEREDIA (de) José-Maria (1842 – 1905)

Né à La Fortuna, près de Santiago de Cuba, il est le fils d'un descendant des conquistadors et d'une Française. Il est élevé dans le goût de la littérature française et de la culture hispanique. Entré à l'École des Chartes à Paris en 1862, il acquiert une grande érudition historique, qui nourrira son œuvre poétique. Il participe aux débuts du mouvement des poètes parnassiens et Leconte de Lisle l'associe au *Parnasse contemporain* (1866), édition d'un « recueil de vers nouveaux » intitulé ainsi en souvenir du mont de Grèce qui passe pour le séjour mythique des Muses. Son unique recueil, *Les Trophées* (1893), reçoit un accueil triomphal qui lui vaut d'être élu à l'Académie française en 1894. Devenu conservateur de la Bibliothèque de l'Arsenal (1901), il meurt en 1905 près de Houdan.

HUGO Victor (1802 – 1885)

Fils d'un général du Premier Empire, il est né à Besançon. Sa famille s'installe à Paris dans l'ancien couvent des Feuillantines, près du Panthéon. Tout en préparant des études scientifiques au Lycée Louis-le-Grand, il s'adonne déjà à la poésie. Il obtient ses premiers succès avec les *Odes et Poésies diverses* (1822), puis il s'impose comme chef de file du mouvement romantique après l'ardente bataille autour de son drame *Hernani* (1830). Alors que sa réputation ne cesse de croître (*Ruy Blas*, drame donné en 1838, *Les Rayons et les Ombres*, recueil poétique publié en 1840), il traverse une épreuve terrible : la mort de sa fille Léopoldine (4 septembre 1843). Il se tourne vers la politique, dans le camp des « libéraux », mais le coup d'État de Napoléon III (2 décembre 1852) le contraint à un long exil de dix-huit ans. Réfugié dans l'île de Guernesey, il devient alors une légende vivante qui multiplie les chefs d'œuvre : *Les Châtiments* (1853), *Les Contemplations* (1856), *Les Misérables* (roman, 1859), *La Légende des siècles* (1859 -1883), entre autres. Son retour en France est triomphalement accueilli après la chute du Second Empire (1870). Malgré les deuils et la vieillesse, il ne cesse d'écrire (*Quatrevingt-treize*, roman, 1874 ; *L'Art d'être grand-père*, 1877 ; *La Fin de Satan*, posthume) jusqu'à sa mort en 1885 à Paris, suivie de monumentales funérailles nationales au Panthéon.

JARRY Alfred (1873 – 1907)

Né à Laval dans une famille de la petite bourgeoisie bretonne, Alfred Jarry est un élève doué, mais désinvolte, un écrivain précoce qui se fait vite une réputation dans le milieu littéraire parisien. Il collabore à diverses revues, dont *Le Mercure de France* et *La Revue blanche*, et publie diverses œuvres en vers ou en prose, comme *Les Minutes de sable mémorial* (1894), *Messaline, roman de la Rome impériale* (1901) ou *Le Surmâle* (1902). Il crée le personnage grotesque et provocant du père Ubu qui fait scandale dans sa pièce *Ubu roi* jouée en 1896 au théâtre de l'Œuvre, à Paris. Enfin, avec son « roman néoscientifique », *Gestes et opinions du docteur Faustroll, pataphysicien* (1898), il invente la pataphysique ou « science potachique des solutions imaginaires » aux problèmes soulevés par la réalité. Les surréalistes, et notamment André Breton, lui rendront hommage. Cependant, accablé par les soucis d'argent, il sombre dans l'alcoolisme avant de mourir à trente-quatre ans d'une méningite tuberculeuse.

LA FONTAINE (de) Jean (1621 – 1695)

Il est né à Château-Thierry, où son père est maître des Eaux et Forêts. Venu à Paris en 1645, il étudie le droit et fréquente les milieux littéraires. Devenu avocat au Parlement, il succède à son père dans les Eaux et Forêts en 1652. La chute du surintendant royal Fouquet, qui l'avait pris sous sa protection, entraîne sa disgrâce et un exil momentané en Limousin. De retour à Paris, il entre au service de la duchesse-douairière d'Orléans (1664), menant alors une vie mondaine et littéraire brillante (*Contes*, 1665 ; premières *Fables*, 1668). Auprès de Madame de la Sablière, il rencontre les grands auteurs de son temps. En 1675 ses *Nouveaux Contes*, jugés trop licencieux, sont interdits de publication ; cependant, il est élu à l'Académie Française en 1683. La suite de ses *Fables* paraît en 1679, les dernières en 1693. Frappé par la maladie en 1692, il s'adonne désormais à la poésie religieuse. Il meurt à Paris en 1695.

LA HALLE (de) Adam dit Adam le Bossu (1240 ? – 1288 ?)

Né sans doute à Arras vers 1240, il est fils du bourgeois Henri le Bossu, employé à l'échevinage d'Arras, dont il tient le surnom de « Bossu d'Arras ». On connaît quelques éléments de sa vie grâce à certaines de ses œuvres, comme *Le Jeu de la feuillée* (vers 1276). Il aurait abandonné des études ecclésiastiques pour se marier vers 1270, puis aurait suivi les cours de l'Université de Paris, où il aurait obtenu le titre de « maître ès arts ». Poète et chanteur (« trouvère » en langue d'oïl), maître à l'école de musique d'Arras, il a introduit la polyphonie à trois voix dans ses motets et ses rondeaux (quatorze rondeaux, un rondeau-virelai et une ballade ont été conservés). Il entre vers 1280 au service de Robert d'Artois qu'il accompagne à Naples, à la cour de Charles d'Anjou, et il y serait mort, sans doute vers 1288.

LABÉ Louise (1526 ? – 1565 ?)

Née en 1526 (ou 1524 ?) dans le milieu aisé des artisans lyonnais, elle épouse le riche cordier Ennemond Perrin. Belle, cultivée, la « belle Cordière » choque ses contemporains par sa conduite jugée trop libre (elle monte à cheval et participe à des tournois). Influencée par le poète italien Pétrarque et par les représentants de l'École lyonnaise, comme Maurice Scève, son œuvre poétique (trois élégies et vingt-quatre sonnets parus en 1555) exprime les plaisirs et les tourments de l'amour sur un ton personnel très original. Elle compose un *Débat de Folie et Amour* pour un cercle mondain et lettré qu'elle anime dans son hôtel particulier. Elle meurt vers 1565.

LAFORGUE Jules (1860 – 1887)

Il est né à Montevideo (Uruguay) où son père est instituteur. Arrivé en France à six ans, il fait des études médiocres au Lycée Condorcet à Paris. Grand admirateur de Mallarmé, il fréquente Charles Cros et les poètes qui se proclament « décadents » ; ayant obtenu le poste de lecteur auprès de l'impératrice Augusta d'Allemagne, il demeure à Berlin de 1881 à 1886. Son mal de vivre et son pessimisme fondamental se manifestent à travers la fantaisie légère d'une apparente désinvolture (*Les Complaintes*, 1885 ; *L'Imitation de Notre-Dame la Lune*, 1886). Rentré à Paris, il meurt de la tuberculose à vingt-sept ans.

LAMARTINE (de) Alphonse (1790 – 1869)

Né à Mâcon dans une famille d'aristocrates très catholiques et royalistes, il vit à partir de 1797 dans la propriété paternelle du village de Milly. Après de solides études chez les Jésuites et un voyage en Italie (1811-1812), il se découvre une vocation poétique grâce à sa rencontre avec Madame Charles qui devient son Elvire des *Méditations poétiques* (1820). Son succès littéraire (élection à l'Académie Française en 1829) se double rapidement d'une carrière diplomatique et politique ambitieuse : tout en poursuivant ses publications (*Harmonies poétiques et religieuses*, 1830 ; *Jocelyn*, 1836 ; *Recueillements poétiques*, 1839), il est élu successivement conseiller général, député, ministre et brigue la présidence de la République en décembre 1848. Ses 17 910 voix sont un cuisant échec face aux cinq millions et demi de votes pour le futur Napoléon III. Lourdement endetté, il publie toutes sortes de compilations historiques, politiques et littéraires. Ruiné malgré la vente de Milly (*La Vigne et la Maison*, 1856 – 1857), il meurt à Paris en 1869.

LECONTE DE LISTE Charles-Marie
(1818 – 1894)

Né à Saint-Paul dans l'île Bourbon (aujourd'hui la Réunion), dont il gardera le goût de l'exotisme, il vient étudier en France métropolitaine. Partisan actif du mouvement révolutionnaire de 1848, il milite pour les idées socialistes et contre l'esclavage ; cependant, battu aux élections, amèrement déçu, il abandonne la politique pour se consacrer à l'Antiquité (il traduit Homère, Hésiode, les auteurs tragiques grecs) et à la poésie : ses grands recueils (*Poèmes antiques*, 1852 ; *Poèmes barbares*, 1862 ; *Poèmes tragiques*, 1884) l'imposent comme le maître de l'école du Parnasse. En 1886, il entre à l'Académie Française, au fauteuil de Victor Hugo, dont il avait été l'un des disciples. Il meurt en 1894 à Louveciennes.

LOUŸS Pierre (1870 – 1925)

Né à Gand en Belgique, Pierre Louis, dit Louÿs, fait ses études à l'École alsacienne à Paris et se lie d'amitié avec son condisciple André Gide. Très tôt attiré par le monde des lettres, il fréquente d'abord les poètes parnassiens : Leconte de Lisle et José Maria de Heredia, dont il épouse l'une des filles en 1899, après avoir vécu une liaison passionnée avec la sœur de celle-ci. Il fonde une petite revue, *La Conque*, où sont surtout publiés des textes d'auteurs parnassiens et symbolistes (Mallarmé, Valéry, Verlaine, Gide). Il compose ses premiers vers, érotiques et précieux, en imitant les poètes lyriques de la Grèce antique. Il écrit aussi des romans, comme *Aphrodite, mœurs antiques* (1896) et *La Femme et le Pantin* (1898). Son chef-d'œuvre, *Les Chansons de Bilitis* (1894), est un bel exemple de supercherie littéraire : Louÿs prétendait avoir traduit ces poèmes du grec ancien et les attribuait à une poétesse de l'Antiquité dont il avait inventé l'existence.

MACHAUT (de) Guillaume (1300 ? – 1377 ?)

Né probablement à Machaut en Champagne, il est chapelain et secrétaire du roi Jean Ier de Luxembourg. Il entre ensuite au service de Bonne de Luxembourg (fille de Jean Ier et épouse du roi Jean II), puis de ses enfants, dont le futur roi de France, Charles V. En 1337, il devient chanoine à Reims. Il écrit de longs poèmes narratifs, selon la rhétorique courtoise de son époque (*Le Remède de Fortune*, *La Prise d'Alexandrie*), mais aussi des pièces courtes (rondeaux, ballades, virelais). Il compose également des musiques d'accompagnement pour bon nombre de ses poèmes et vingt-trois motets. Ses gracieux rondeaux et ballades polyphoniques (avec deux ou trois voix chantant des parties différentes) sont à l'origine du chant profane : une mélodie chantée, plutôt dans l'aigu, accompagnée de deux instruments jouant dans les graves.

MALHERBE (de) François (1555 – 1628)

Né à Caen dans une famille noble protestante, il quitte la Normandie pour se mettre au service du duc d'Angoulême, fils naturel du roi Henri II, nommé gouverneur de Provence. Il reste vingt ans à Aix-en-Provence. Il commence à se faire connaître par quelques poèmes, dont sa fameuse *Consolation* à son ami du Périer (1598 – 1599). En 1605, il est reçu à Paris par Henri IV qui lui commande une œuvre pour célébrer ses campagnes. Gentilhomme ordinaire de la Chambre, pensionné comme poète courtisan, il compose des œuvres de circonstances, quelques poèmes d'amour et traduit le philosophe latin Sénèque. Reconnu comme une autorité littéraire, il meurt à Paris en 1628, après avoir eu la douleur de perdre son fils dans un duel.

MALLARMÉ Stéphane (1842 – 1898)

Né à Paris, il perd très tôt sa mère et sa sœur, ce qui provoque en lui une obsession de la mort sensible dans toute son œuvre. Il découvre Baudelaire et Edgar Poe avec enthousiasme ; il écrit ses premiers vers. Il part pour l'Angleterre (1862), où il se marie. À son retour en France, il devient professeur d'anglais (à Tournon, Besançon, Avignon et enfin à Paris à partir de 1871) : « chahuté » par ses élèves, il ne cesse de se plaindre de ce métier qui absorbe son temps et son énergie. Il se lance alors dans la quête d'un absolu poétique qui puisse l'arracher à une vie morne. Après avoir fréquenté les cercles parnassiens, il est révélé au public par Verlaine : ses *Poésies* sont publiées en 1887 dans *La Revue indépendante*. Les poètes symbolistes font de lui leur chef de file et prennent l'habitude de se réunir dans son salon parisien de la rue de Rome. Il meurt en 1898 dans sa propriété de Valvins (Seine-et-Marne), tandis qu'il travaille sur un drame lyrique, *Hérodiade*, qui restera à l'état de fragments.

MARBEUF (de) Pierre (1596 – 1645)

Fils du seigneur d'Imare et de Sahurs, celui qu'on appelle le Chevalier de Marbeuf est né près de Pont de l'Arche, dans l'Eure. Après des études à La Flèche, il étudie le droit à Orléans et publie dès 1618 des poèmes divers, dont certains d'inspiration religieuse. Revenu à Pont de l'Arche, il se consacre aux Eaux et Forêts et à l'écriture poétique : une édition complète de ses *Œuvres* est publiée en 1629.

MARIE DE FRANCE

On sait peu de choses de sa vie. Sans doute d'origine normande, elle vit à la cour d'Henri II Plantagenêt, qui aime s'entourer de prestigieux écrivains (Jean de Salisbury, Robert Wace, Benoît de Sainte-Maure). Dès le XVIe siècle, elle a été désignée sous le nom de

Marie de France, d'après l'épilogue de ses *Fables* où elle se présente ainsi : *Marie ai num, si sui de France* (« mon nom est Marie, et je suis de France »), signifiant par là qu'elle est originaire d'Île-de-France, alors qu'elle vit dans l'Angleterre anglo-normande. Ses *Lais*, écrits entre 1160 et 1178 et dédiés à Henri II Plantagenêt, sont de longueur variable (d'une centaine à un millier de vers octosyllabes). Ils ont pour sujet une histoire d'amour confrontée à de multiples péripéties, avec des exploits renvoyant à la chevalerie et à la légende du roi Arthur. Marie dit avoir recueilli ses récits de la bouche de bardes ou de harpistes bretons. Le *Lai du Chèvrefeuille* reprend le thème bien connu des amours tragiques de Tristan et Yseult.

MAROT Clément (1496 – 1544)

Né à Cahors, il vient à Paris où son père, lui-même poète, a été nommé secrétaire à la cour du roi Louis XII. Il fait ses premiers essais poétiques dès 1514. En 1519, il entre au service de Marguerite d'Angoulême (reine de Navarre en 1527), sœur du roi François Ier, princesse brillante et cultivée. Poète courtisan, Marot compose une œuvre très abondante : épîtres, complaintes, épitaphes, ballades, rondeaux et chansons sont regroupés dans *L'Adolescence clémentine*. Cependant, accusé de sympathie pour la Réforme, il est emprisonné deux fois et libéré grâce à l'intervention du roi (1527). En 1534, il doit se réfugier auprès de Marguerite en Navarre, puis en Italie ; il rentre en France en 1536 et retrouve la faveur de la Cour après avoir abjuré « l'erreur luthérienne ». Mais ses œuvres jugées subversives au plan religieux (*Psaumes, L'Enfer*) l'obligent à fuir une nouvelle fois : il part à Genève où il est accueilli par Calvin (1542). Il meurt à Turin en 1544.

MAUPASSANT (de) Guy (1850 – 1893)

Né à Fécamp, il vit d'abord dans cette campagne normande qui sera l'une des grandes sources d'inspiration de son œuvre. En 1870, il est mobilisé lors de la guerre contre la Prusse et, après la défaite, il commence une carrière de fonctionnaire à Paris. Parallèlement, il se met à écrire, sous l'influence de Gustave Flaubert, ami d'enfance de sa mère, qui devient son maître et père spirituel. Comme lui, il ne se reconnaît d'aucune école, mais il reste influencé par le courant dominant, celui du réalisme et du naturalisme. Sa première nouvelle *Boule de Suif* contribue largement au succès du recueil *Les Soirées de Médan* (1880) organisé par Zola. Dès lors, il abandonne son poste au ministère de l'Instruction publique pour se consacrer à l'écriture. En une douzaine d'années, il publie une quinzaine de recueils de contes et de nouvelles, six romans et de très nombreux articles de journaux. Fêté dans les salons parisiens, auteur à succès, il sombre cependant peu à peu dans une forme de folie hallucinatoire, due aux atteintes de la syphilis, contractée dans sa jeunesse. Il meurt à la clinique du docteur Blanche, à Passy.

MENDÈS Catulle (1841 – 1909)

Né à Bordeaux, il occupe rapidement une place importante dans la vie littéraire parisienne, avec Leconte de Lisle, Coppée et Heredia. Avec Villiers de l'Isle-Adam, il crée *La Revue fantaisiste* (1860), où sont publiés les premiers Parnassiens. Admirateur de Gautier et du compositeur allemand Wagner, qu'il essaie de faire connaître en France (*Richard Wagner*, essai, 1886), il représente ce qu'on appelle le style « fin de siècle », caractérisé par une recherche formelle raffinée, mais jugée superficielle. Il compose divers recueils poétiques (*Philoméla*, 1863 ; *Hespérus*, 1869 ; *Contes épiques*, 1872), des romans et des nouvelles, mais aussi des pièces de théâtre et des livrets d'opéra. Sa *Légende du Parnasse contemporain* (1884) retrace l'histoire de ce mouvement littéraire.

MUSSET (de) Alfred (1810 – 1857)

Né à Paris dans une famille aisée et cultivée, il fait de brillantes études au Lycée Henri IV ; il fréquente les poètes « nouveaux » qui admirent la virtuosité de ses *Contes d'Espagne et d'Italie* (1830). Enfant terrible du romantisme, menant une vie de dandy débauché, il s'oriente d'abord vers le théâtre (*Les Caprices de Marianne*, 1833). Sa liaison aussi passionnée que tourmentée avec George Sand (1833 – 1835) donne à son génie une forme de maturité douloureuse ; de l'épreuve de l'amour trahi naissent ses chefs-d'œuvre : le drame de *Lorenzaccio* (1834), le roman quasi autobiographique de *La Confession d'un enfant du siècle* (1836), les quatre poèmes des *Nuits* (1835 – 1837). Épuisé physiquement et moralement, malgré quelques succès au théâtre (*Il faut qu'une porte soit ouverte ou fermée*, 1845) et son élection à l'Académie française (1852), il décline lentement dans la solitude. Il meurt en 1857.

NERVAL (de) Gérard (1808 – 1855)

Né à Paris, Gérard Labrunie perd sa mère très tôt. Élevé à Mortefontaine au « clos de Nerval », la propriété d'un grand-oncle dont il tire son nom de plume, il découvre le Valois (château de Mortefontaine, forêt d'Ermenonville), qui deviendra le décor rêvé de ses œuvres (*Les Filles du feu*, 1854). Au Collège Charlemagne, il se lie d'amitié avec Théophile Gautier ; en 1828, sa traduction du *Faust* de Goethe (1806) lui vaut les félicitations du célèbre écrivain allemand. Après la fameuse bataille d'*Hernani*, il fait partie des « Jeune France ». Atteint de troubles mentaux dès 1841, il voyage beaucoup, en Europe, puis en Orient (1843), cherchant dans le rêve et l'exotisme un remède à ses angoisses (*Voyage en Orient*, 1851).

Vivant de petits métiers dans l'édition, il est repris par ses crises de démence, d'où des séjours répétés dans la clinique du docteur Blanche à Passy. On le retrouve pendu à une grille d'une rue parisienne, le 26 janvier 1855, alors que commence la publication de son ultime nouvelle, *Aurélia*.

NOAILLES (de) Anna (1876 – 1933)

Née à Paris de mère grecque et de père roumain, dans une famille d'artistes et de lettrés, elle écrit des poèmes dès son enfance, influencée par les parnassiens, mais surtout par Victor Hugo. Après son mariage avec le comte Mathieu de Noailles, elle publie quelques poèmes dans *La Revue de Paris*, puis, après la naissance de son fils, un premier recueil (*Le Cœur innombrable*, 1901) qui est salué par la critique. Elle publie ensuite de nombreux poèmes (*L'Ombre des jours*, 1902 ; *Les Éblouissements*, 1907 ; *Les Vivants et les Morts*, 1913 ; *Les Forces éternelles*, 1921 ; *Poèmes d'enfance*, 1928), des nouvelles et des romans. Couronnée par le grand prix de littérature de l'Académie française, elle est la première femme commandeur de la Légion d'honneur.

ORLÉANS (d') Charles (1394 – 1465)

Né à Paris, il est fils de Louis d'Orléans, frère du roi de France Charles VI. Projeté sur la scène politique dès l'âge de treize ans, après l'assassinat de son père par Jean sans Peur (1407), il est impliqué dans les intrigues qui opposent les maisons de Bourgogne, d'Armagnac et le roi. Devenu chef du parti armagnac, il est fait prisonnier par les Anglais à la bataille d'Azincourt (1415) et emmené en Angleterre où il reste jusqu'en 1440. Pendant sa captivité, il perd sa deuxième femme Bonne d'Armagnac. L'écriture poétique qu'il avait pratiquée dans sa jeunesse comme un agréable passe-temps de cour devient alors pour lui une consolation. De retour en France, il finit par abandonner les luttes politiques et se retire à Blois où il organise des concours poétiques, comme celui de la ballade *Je meurs de soif auprès de la fontaine*, premier vers sur lequel chacun des familiers de la cour doit composer son propre poème (François Villon lui-même y participe). Il meurt en 1465 à Amboise ; son fils Louis deviendra le roi Louis XII en 1498.

PISAN (de) Christine (1364 ? – 1431 ?)

Née à Venise, elle est la fille d'un astrologue italien, Tommaso di Benvenuto da Pizzano, conseiller du roi de France Charles V. Elle vit à la cour avant d'épouser un notaire royal, Étienne de Castel, qui meurt prématurément en 1389. Veuve à vingt-cinq ans avec trois jeunes enfants, Christine dite « de Pisan » doit vivre de sa plume : elle compose de très nombreuses œuvres de commande, comme des écrits politiques, moraux et religieux (*Le Livre des faits du sage roi Charles V, La Cité des Dames*), mais aussi des pièces plus personnelles où elle exprime les peines de son existence. Elle est également l'auteur d'un poème célébrant Jeanne d'Arc et Charles VII (*Ditié de Jeanne d'Arc*, 1429).

RABELAIS François (vers 1483 – 1553)

Fils d'un riche avocat, il est né à La Devinière, près de Chinon, en Touraine. Poussé par l'amour des études, il devient novice chez les Franciscains de la Beaumette, près d'Angers. Il s'initie au grec ancien, correspond avec l'humaniste Guillaume Budé et entreprend une traduction d'Hérodote. Après avoir rejoint l'ordre des Bénédictins en 1524, il se lance dans l'étude du droit, qu'il abandonne assez vite pour s'inscrire à l'Université de médecine de Montpellier. Il quitte alors l'habit de moine pour devenir prêtre séculier, a deux enfants, puis, après avoir été reçu bachelier en 1530, entre comme médecin à l'Hôtel-Dieu de Lyon en 1532. La même année, il fait paraître les *Horribles et épouvantables faits et prouesses du très renommé Pantagruel, roi des Dipsodes, fils du grand géant Gargantua*, qu'il signe d'une anagramme de son nom et de son prénom : maître Alcofrybas Nasier. Suivent la *Vie inestimable du grand Gargantua, père de Pantagruel* (1535), le *Tiers Livre des faits et dits héroïques du bon Pantagruel* (1546) et le *Quart Livre* (1552). Enfin, en 1564, est publié à titre posthume le *Cinquième Livre de Pantagruel*.

RÉGNIER (de) Henri (1864 – 1936)

Né à Honfleur, il fait ses études au collège Stanislas à Paris, puis à la faculté de droit. Il publie en 1885 son premier recueil poétique, *Les Lendemains*, se lie avec Mallarmé et épouse la fille aînée de Heredia. Après un recueil en vers libres, *Poèmes anciens et romanesques* (1887 – 1890), il revient à une versification plus classique avec *Les Jeux rustiques et divins* (1897) et *Les Médailles d'argile* (1900). Il écrit également plusieurs romans. Il est élu à l'Académie française en 1911.

RENARD Jules (1864 – 1910)

Né près de Laval, élevé dans la Nièvre, Jules Renard s'installe à Paris en 1881 : il fréquente les cafés littéraires, écrit des chroniques pour des revues, mais vit dans la misère. Il participe à la création de la revue *Le Mercure de France*, qui publie des extraits de ses *Sourires pincés* (1890). Deux ans plus tard, il publie un court roman, *L'Écornifleur*, qui lui apporte le succès. Son fameux récit d'inspiration autobiographique, *Poil de carotte*, paraît en 1894. Romancier du « terroir », il puise son inspiration dans la campagne de sa « petite patrie », la Nièvre : *Le Vigneron dans sa vigne* (1894), *Histoires naturelles* (1896), *Bucoliques* (1898) ou *Nos frères farouches* (1908). Il aime observer la nature et les paysans, dont il tire des portraits pleins d'humour, de poésie et de tendresse.

RIMBAUD Arthur (1854 – 1891)

Né à Charleville, élève brillant, il est encouragé dans ses premiers essais poétiques par son professeur de rhétorique. C'est avec un court poème de deux quatrains intitulé « Sensation » que Rimbaud entame sa carrière de poète alors qu'il n'a pas encore seize ans (mars 1870). Son caractère emporté supporte mal les contraintes familiales et provinciales : après plusieurs fugues, le petit prodige, remarqué pour son *Bateau ivre*, vient à Paris, à l'invitation de Verlaine (1871). Leur liaison tumultueuse tourne au drame : blessé par son ami qu'il voulait quitter, il éprouve la douleur d'un rêve brisé dont *Une saison en enfer* (1873) porte le bouleversant témoignage. Il vagabonde en solitaire et rédige plusieurs poèmes en prose (*Illuminations*, 1874 – 1876), puis il s'embarque pour Aden (1880). Pendant dix ans, il erre dans le désert, d'Éthiopie en Égypte, ayant complètement cessé d'écrire et se livrant à toutes sortes de trafic. Rapatrié en France pour se faire soigner d'une tumeur au genou, il est amputé d'une jambe à Marseille où il meurt peu après, en 1891.

ROLLINAT Maurice (1846 – 1903)

Né à Châteauroux, il est issu d'une vieille famille berrichonne de notaires et d'avocats. Amie de son père, George Sand devient sa « marraine littéraire ». Très affecté par la mort de son père et le suicide de son frère, il compose une œuvre poétique marquée par la nostalgie. Chansonnier au cabaret du Chat Noir à Montmartre, il se fait connaître par son recueil *Les Névroses*.

RONSARD (de) Pierre (1524 – 1585)

Né dans le château familial de la Possonnière, près de Vendôme, élevé dans le culte des arts et des lettres, il fait un court séjour au Collège de Navarre à Paris et découvre la vie de cour en devenant page de Charles d'Orléans, fils de François Ier. Mais il est atteint de surdité à l'âge de seize ans, ce qui l'écarte de la carrière diplomatique ou militaire traditionnelle. Il reçoit alors la tonsure, ce qui lui permet de vivre des bénéfices des charges ecclésiastiques qui lui sont confiées. Sa rencontre avec Du Bellay (1546) confirme sa vocation poétique et il suit avec lui les leçons de Dorat au Collège Coqueret. Devenu chef de file du mouvement de la « Pléiade » (ainsi nommé en souvenir des sept poètes alexandrins qui s'étaient réunis sous le signe de cette constellation au IIIe siècle avant J.-C.), il partage sa vie entre les fêtes de la cour à Paris et le calme de la Touraine. Il accumule les recueils poétiques, dont les célèbres *Amours* (1578). À partir de 1560, il n'hésite pas à s'exprimer sur les affaires de l'État et les guerres religieuses (*Discours des misères de ce temps*, 1562), prenant parti pour la cause catholique. Avec *La Franciade* (1572), il compose son épopée nationale, à l'imitation de Virgile. Malade, il se retire dans son prieuré près de Tours où il meurt en 1585.

RUTEBEUF (1230 ? – 1285 ?)

On ne possède pratiquement aucun renseignement précis sur Rutebeuf (il a vécu sous les règnes de Saint Louis et de Philippe III le Hardi), en dehors des confidences du poète lui-même dans ses œuvres. Vraisemblablement d'origine champenoise, il arrive très tôt à Paris où il fréquente les clercs. Il dispose d'une solide culture, mais il vit dans la misère : pour subsister, il pratique le métier de bateleur et compte sur la protection du roi Saint Louis et de son frère Alphonse, comte de Poitiers. Sa carrière poétique s'étend de 1248 à 1272 ; il touche à tous les genres : complaintes (*Pauvreté Rutebeuf, Mariage Rutebeuf, Complainte Rutebeuf*), satires (*Discorde de l'Université et des Jacobins, Dit d'Hypocrisie*), fabliaux (*Frère Denise*), drames religieux (le *Miracle de Théophile*).

SAINT-AMANT (de) Marc-Antoine Girard (1594 – 1661)

Né à Quevilly, près de Rouen, dans une famille de marchands protestants, il reçoit une éducation solide et s'anoblit lui-même en prenant le titre de sieur de Saint-Amant. Protégé par le duc de Retz, il fréquente les salons parisiens après sa conversion au catholicisme. Il participe aussi à de nombreuses expéditions militaires en Italie, en Angleterre et en Espagne. Il mène sa carrière poétique dans la tradition littéraire de Rabelais et de Marot, tout en lançant un style qualifié de « burlesque ». Reçu en 1634 à l'Académie française, il travaille à la partie « comique » du dictionnaire. Sa poésie, libre, sensuelle et imaginative, tombe dans l'oubli lorsque le goût classique triomphe ; il ne sera redécouvert qu'au XIXe siècle.

SCARRON Paul (1610 – 1660)

Né à Paris, dans une famille de bonne bourgeoisie riche et cultivée, il entre dans la carrière ecclésiastique, tout en menant la joyeuse vie d'un libertin. Cependant, il est rendu infirme par une maladie incurable à l'âge de vingt-huit ans : cloué sur une chaise, il continue à rassembler autour de lui une élite intellectuelle libre d'esprit, malgré les difficultés financières. Il écrit beaucoup. Il s'illustre dans le genre burlesque, introduit en France par des auteurs italiens : *Le Recueil de quelques vers burlesques* (1643), *Typhon ou la Gigantomachie* (1644), *Le Virgile travesti* (1648 – 1652). Il compose aussi des comédies, mais son œuvre la plus célèbre est un roman burlesque, *Le Roman comique*, dont la première partie paraît en 1652, et la seconde en 1657, laissant le roman inachevé. En 1652, il épouse la jeune Françoise d'Aubigné, petite-fille du poète Agrippa d'Aubigné et future madame de Maintenon, maîtresse puis épouse de Louis XIV.

SCÈVE Maurice (1501 – 1564 ?)

Né à Lyon, dans une famille riche, il gagne sa renommée de poète en participant aux jeux poétiques organisés par cette ville (il célèbre en particulier l'entrée du roi Henri II à Lyon en 1548). Il compose un long poème amoureux de structure complexe, *Délie, objet de plus haute vertu* (1544), le premier de la Renaissance française, très influencée par la Renaissance italienne : il y chante la femme aimée (son inspiratrice était Pernette du Guillet, poétesse lyonnaise rencontrée en 1536). *Le Microcosme* (1562) s'inscrit dans la tradition de la poésie scientifique. Représentant le plus illustre de l'École lyonnaise, reconnu comme un maître par les auteurs de la Pléiade (Du Bellay, Ronsard), Scève tombe cependant très vite dans l'oubli ; on redécouvre aujourd'hui l'originalité poétique de son œuvre.

SULLY PRUDHOMME René-François (1839 – 1907)

Né à Paris, René Prudhomme dit Sully Prudhomme est d'abord ingénieur au Creusot, mais il décide rapidement de se consacrer à la poésie : le *Vase brisé* dans *Stances et poèmes* (1865) lui apporte un succès immédiat. En 1869, il publie *Solitudes*. Il collabore au Parnasse avec un souci de la perfection formelle proche de celui de Leconte de Lisle. Cependant, sa poésie se fait de plus en plus philosophique et didactique (*La Justice*, 1878 ; *Le Bonheur*, 1888). Élu à l'Académie française en 1881, il reçoit le premier prix Nobel de littérature en 1901. Il meurt à Châtenay-Malabry en 1907.

TOULET Paul-Jean (1867 – 1920)
Né à Pau, il perd sa mère dès sa naissance. Il séjourne trois ans à l'île Maurice (1885 – 1888) avec son père, puis un an à Alger (1888 – 1889), où il publie ses premiers articles. Il arrive à Paris en 1898, où il entame une carrière mondaine et littéraire. Cependant, de santé fragile, il quitte la capitale pour le Sud-Ouest (1912). Il écrit divers romans, mais c'est seulement par ses œuvres poétiques posthumes qu'il acquiert la notoriété : ses *Contrerimes* (1921) font de lui le chef incontesté de l'École fantaisiste. Ses *Lettres à soi-même* (1927) et *L'Almanach des trois impostures* (1922) développent un humour amer et désabusé.

VAN LERBERGHE Charles (1861 – 1907)
Né à Gand et mort à Bruxelles, c'est un poète, conteur et dramaturge belge francophone. Au collège Sainte-Barbe à Gand, il est le condisciple de Maurice Maeterlinck et de Grégoire Le Roy, qui se retrouvent réunis dans *Le Parnasse de la Jeune Belgique*. Admirateur fervent de Mallarmé, il est l'un des représentants du courant symboliste. Son œuvre la plus connue est *La chanson d'Ève* (1904), un long poème qui rend hommage à la Femme, représentée par la figure de l'Ève biblique.

VENTADORN Bernart de / Bernard de Ventadour (1125 ? – 1200 ?)
Né au château de Ventadour dans le Limousin, c'est l'un des plus célèbres troubadours en langue d'oc. D'après une biographie provençale, il serait le fils d'un serf et d'une boulangère attachés au château. Ses premiers poèmes sont sans doute composés pour la vicomtesse de Ventadour, ce qui lui vaut d'être chassé du château par le vicomte jaloux. Il est ensuite accueilli en Normandie à la cour de la femme d'Henri Plantagenêt, Aliénor d'Aquitaine, pour

laquelle il écrit les *Chansons*. Revenu en Occitanie, il visite plusieurs cours du Midi, devient le protégé de la vicomtesse Ermengarde de Narbonne, puis fréquente la cour de Raimon V, comte de Toulouse. À la mort du comte, en 1194, la légende dit qu'il se fait moine à l'abbaye de Dalon (près d'Hautefort en Dordogne). Il y serait resté jusqu'à sa mort. Il est considéré comme l'un des meilleurs musiciens de son temps et parmi les plus grands poètes de l'amour. Il dit lui-même que le sentiment amoureux est le guide de son inspiration et sa raison de vivre : il reste de lui 44 chansons dont 18 avec leur mélodie.

VERHAEREN Émile (1855 – 1916)
Né à Saint-Amand dans la province d'Anvers en Belgique, c'est un poète belge flamand d'expression française. Tenté par le naturalisme (*Les Flamandes*, 1883), il s'oriente vers le symbolisme et évoque une Belgique mystique (*Les Moines*, 1886). À la suite d'une grave crise dépressive, il compose des poèmes profondément pessimistes (*Les Soirs*, 1887 ; *Les Débâcles*, 1888 ; *Les Flambeaux noirs*, 1888-1891). Il s'emploie ensuite à peindre la vie moderne dans sa cruauté : les villes industrielles, la technologie, le monde ouvrier, l'exode rural. *Les Campagnes hallucinées* (1893), *Les Villages illusoires* (1895) et *Les Villes tentaculaires* (1895) témoignent de cet intérêt naissant pour l'idéologie socialiste et lui valent une reconnaissance internationale. Il célèbre aussi son pays natal (*Toute la Flandre*, 1904 – 1911) ; il est également l'auteur de contes, de pièces de théâtre et de critiques littéraires.

VERLAINE Paul (1844 – 1896)
Né à Metz, il fait ses études au Lycée Condorcet à Paris, puis il devient fonctionnaire municipal à l'Hôtel de Ville. Il consacre tout son temps libre à la poésie : *Poèmes saturniens* (1866) et *Fêtes galantes* (1869) lui apportent la notoriété. Il mène une vie de

bohème agitée ; pendant le siège de la Commune, il abandonne sa femme pour vivre une folle aventure avec Arthur Rimbaud qu'il a rencontré en septembre 1871 (*Romances sans paroles*, 1874). Après un séjour en Angleterre, la liaison s'achève dans la violence en Belgique : Verlaine, ivre, tire sur Rimbaud, qui n'est que blessé, en juillet 1873 ; après deux ans de prison, malgré une éphémère conversion morale et mystique (*Sagesse*, 1881), il sombre dans l'alcool et la déchéance. Ses derniers poèmes (*Jadis et naguère*, 1884) traduisent ses déchirements permanents. Il meurt dans le dénuement en 1896.

VIGNY (de) Alfred (1797 – 1863)

Né à Loches, héritier d'une lignée aristocratique de soldats et de marins, il prépare une carrière militaire sous la Restauration. Mais, pour tromper l'ennui d'une vie monotone en garnison, il fréquente les cercles poétiques où il lit ses premières œuvres en 1822. Il se marie, quitte l'armée et décide de se consacrer à la littérature : *Cinq-Mars* (roman, 1826), *Poèmes antiques et modernes* (1826), *Chatterton* (drame, 1835), *Servitude et grandeur militaires* (récits, 1835). Consterné par la Révolution de Juillet 1830, il traverse diverses crises affectives, dont une liaison tourmentée avec l'actrice Marie Dorval, et son écriture se fait de plus en plus pessimiste. Il mène une vie d'ermite tantôt en Charente, tantôt à Paris, où il revient préparer ses grands poèmes philosophiques et moraux qui paraîtront après sa mort (*Les Destinées*, 1864). Il entre à l'Académie française en 1845. Favorable à la Révolution de 1848, il subit une défaite cinglante aux élections. Consignant jusqu'au bout ses réflexions dans son *Journal d'un poète* (publié en 1867), il meurt à Paris en 1863.

VILLON François (1431 - ? après 1463)

La vie de François de Montcorbier où François des Loges, né à Paris, reste pleine de mystère. Il est élevé par le chapelain Guillaume de Villon dont il prend le nom. Il suit les cours de l'Université et devient maître ès arts en 1452. En digne émule des étudiants de son temps (les goliards), il mène joyeuse vie, multipliant les démêlés avec la justice et les séjours en prison : meurtre d'un prêtre (1455), vol avec effraction au collège de Navarre (1456), conflit avec l'évêque d'Orléans (1461). Il compose le *Lais* (legs), sorte de testament bouffon où il invente des héritages poétiques de fantaisie, et séjourne un moment à la cour de Charles d'Orléans à Blois. Son *Testament* constitue une œuvre plus intime et plus sombre, où il semble faire ses adieux au monde en distribuant des messages souvent satiriques. Après sa condamnation à mort et sa grâce inespérée en janvier 1463, il est banni pour dix ans. Il disparaît alors sans laisser aucune trace.

VIVIEN Renée (1877 – 1909)

Née à Londres, Pauline Mary Tarn est d'origine écossaise par son père, riche rentier, et américaine par sa mère. Son enfance est partagée entre Londres et Paris, où elle décide de s'installer. En 1901, elle publie son premier recueil de poèmes *Études et préludes*, sous le pseudonyme de Renée Vivien. Elle mène une liaison orageuse avec la femme de lettres américaine Natalie Clifford Barney. En douze recueils de poésie, soit plus de cinq cents poèmes (*La Vénus des aveugles* paraît en 1904), elle évoque la passion et ses tourments ; elle est reconnue comme l'un des grands représentants de la poésie nouvelle du XXe siècle. Affaiblie par une tentative de suicide et par un désespoir sentimental, elle meurt à l'âge de trente-deux ans.

VOITURE Vincent (1597 – 1648)

Né à Amiens, fils d'un riche marchand de vin, il reçoit une solide éducation dans les meilleurs collèges. En 1628, il entre au service de Monsieur, frère de Louis XIII : il le suit dans ses exils entre 1629 et 1632. Cependant, il ne perd pas l'estime de Richelieu et entre à l'Académie française en 1634. Il pratique différentes formes d'écriture poétique : œuvres de circonstances ou de divertissement, poèmes galants. Il compose surtout pour le petit cercle « précieux » des intimes de l'Hôtel de Rambouillet, où il est l'auteur le plus en vue dès 1626. Un an après sa mort, le monde littéraire parisien s'enflamme dans la querelle qui oppose les partisans de son sonnet *Uranie* à ceux de celui de Benserade, *Job*. Ses œuvres, publiées en 1650, sont principalement composées de lettres, galantes ou mondaines.

Les Japonais

BASHÔ MATSUO ou BASHÔ

Né en 1644 à Iga-Ueno et mort en 1694 à Osaka (Japon).

Matsuo Munefusa est issu d'une famille de *bushi* (« guerriers gentilhommes ») japonais. Il se lie d'amitié avec le fils de son seigneur, mais, quand son ami meurt, il renonce à la carrière traditionnelle de guerrier pour étudier les lettres. Il prend l'habit des moines et suit l'enseignement de plusieurs maîtres dont Kitamura Kigin à Kyoto. Sept ans plus tard, il part pour Edo où il publie son premier recueil de poèmes dont le célèbre :

Sur une branche morte
Les corbeaux se sont perchés
Soir d'automne

À partir de 1680, il crée sa propre école poétique, où

il pratique ce qui deviendra le *haïku* avec un groupe de disciples dans son ermitage de Fukagawa, nommé « l'Ermitage au bananier » (*Bashô-an*) car il y avait planté un bananier offert par l'un de ses élèves. Il lui emprunte alors son nom de plume.

Bashô est vénéré au Japon comme le premier grand maître du *haïku*, poésie de l'allusion et du non-dit qui fait appel à la sensibilité du lecteur en s'efforçant d'exprimer la beauté contenue dans les choses les plus simples de la vie.

SHIKI MASAOKA ou SHIKI

Né à Matsuyama en 1867 et mort à Tokyo en 1902.

Il s'intéresse très tôt à la poésie, et notamment à la poésie classique (*tanka* et *hokku*). Il fait du *hokku*, genre pratiquement tombé en désuétude, le *haïku*, terme dont il est l'auteur, et lui donne une seconde jeunesse en l'adaptant à son époque, ouverte depuis peu aux influences occidentales. En 1895, son manifeste *Haïkaï taiyo* (*Propos sur le haïku*) définit cette forme brève comme une œuvre d'art, au même titre que le roman ou la peinture. Il se réfère à la peinture occidentale quand il voit dans le *haïku* un « croquis pris sur le vif » (*shasei*). Il se réclame aussi de Buson Yosa (1716 – 1783), peintre et poète admirateur de Bashô, faisant ainsi se rejoindre les traditions japonaise et occidentale. La revue *Hototogisu* (*Le Coucou*), qu'il fonde en 1897, ouvre la voie à de nombreux jeunes talents qui contribueront avec lui à la renaissance d'un genre qui sera désormais connu sous le nom de *haïku*.

INDEX DES FORMES

Introduction

On appelle **formes fixes** des poèmes qui obéissent à des règles plus ou moins contraignantes pour la forme (type de vers, structure des strophes, disposition des rimes, retour périodique de mots ou groupes de mots, etc.).

De nombreuses formes ont été fixées au Moyen Âge par les troubadours de langue d'oc.

La plus importante est la *canso* (« chanson ») déterminée par la forme (5, 6 ou 7 *coblas*, « couplets », suivis d'une *tornada*, « envoi ») et par le sujet (l'expression de ce que l'on appelle « l'amour courtois »).

☙ Bertrand de Ventadour, p. 11.

Les formes fixes les plus importantes apparues à cette époque sont :

— la ballade ;

— le lai (construit en vers de deux types, sur seulement 2 rimes, dont l'une domine quantitativement) ;

— le virelai (le premier vers de la première strophe devient le refrain des suivantes) ;

— le rondeau, le rondel (distinct du précédent par la reprise de vers entiers), le triolet (forme simple du rondeau) ;

— la villanelle.

Bien entendu, tous ces poèmes donnent souvent lieu à des versions chantées.

Par la suite, **de nouvelles formes écrites ont été empruntées à d'autres traditions nationales** :
— l'ode, écourtée et simplifiée en odelette, vient de la poésie grecque antique.
— le sonnet apparaît avec la Renaissance italienne.
— le pantoum vient de Malaisie.
— le haïku est né au Japon.

À partir de la seconde moitié du XIXe siècle, les poètes se libèrent de plus en plus de toute contrainte pour développer **de nouvelles formes dites « libres »** : poèmes en prose, calligrammes, en particulier.

৯ • ৯

ARIETTE

De l'italien *arietta* (« petit air »), l'ariette est, en musique, une mélodie légère, à l'imitation de la musique italienne.

৯ Verlaine en fait une chansonnette poétique. Le célèbre « Il pleure dans mon cœur… » (p. 176), poème en quatre strophes de quatre vers (strophe carrée), est le troisième texte de la première section intitulée « Ariettes oubliées » dans *Romances sans paroles* (1874).

BALLADE

Forme fixe de la poésie lyrique courtoise à la fin du Moyen Âge, la ballade est composée en octosyllabes ou décasyllabes disposés en trois couplets ou plus avec un refrain et un « envoi ». Tombée en désuétude à la Renaissance, elle connaît un renouveau au XIXe siècle grâce à la mode médiévale inspirée par le mouvement romantique.

৯ Machaut (p. 24), Charles d'Orléans (p. 30), Villon (p. 34).

৯ Musset (p. 119).

BLASON

C'est un court poème célébrant une partie du corps féminin (« Blason du beau tétin » de Marot, « Le Front » de Maurice Scève, « Blason de l'œil » de Mellin de Saint-Gelais)

🙠 Pierre de Marbeuf, « Anatomie de l'œil », p. 58.

Dans le même esprit, certains poèmes évoquent le corps entier en détaillant successivement ses différentes parties (« Marie, vous avez la joue aussi vermeille… » de Ronsard).

Le blason peut-être aussi satirique : on parle alors de « contre-blason » (« Blason du laid tétin » de Marot, « Ô beaux cheveux d'argent… » de Du Bellay).

CALLIGRAMMES

Du grec *kallos* (« beauté ») et *gramma* (« lettre, écriture »), le calligramme est un poème où les vers sont disposés de façon à figurer une image (objet, personne, animal).

Les spécialistes font remonter les premières occurrences à l'Antiquité grecque avec « La Syrinx » (flûte de Pan) de Théocrite, « La Hache », « Les Ailes de l'Amour » et « L'Œuf » de Simmias de Rhodes. En raison du jeu sur la disposition des vers, on les nomme « rhopaliques » : leur longueur croissante puis décroissante donne à l'ensemble la forme d'une massue (*rhopalon* en grec).

🙠 En 1829, Hugo fait paraître dans *Les Orientales* un texte étonnant de cent vingt vers rhopaliques, intitulé « Les Djinns » (p. 104), qui veut figurer par la longueur même de ces vers en crescendo / decrescendo l'approche puis le reflux du danger.

🙠 Avec sa « Dive Bouteille » (p. 37) Rabelais dessine une sorte de calligramme « avant la lettre ».

Les calligrammes que nous connaissons le mieux sont ceux d'Apollinaire. C'est en 1918 que le mot apparaît sous la plume du poète. Il avait d'abord pensé appeler « idéogrammes lyriques » ces poèmes-images qui permettent de se libérer des contraintes de la lecture linéaire. Jérôme Peignot, dans son étude *Du calligramme* (Éditions du Chêne, 1978), voit d'ailleurs dans ces textes la volonté « d'assurer une communication, non plus seulement au niveau du langage mais de l'être entier ». Dans son recueil précisément nommé *Calligrammes* (1918), Apollinaire utilise deux formes : la plus commune et la plus ancienne, le calligramme textuel dans lequel la masse du texte prend la forme de l'objet représenté, comme « La colombe poignardée », et la moins fréquente, le calligramme linéaire dans lequel la ligne écrite trace les contours de l'objet figuré, comme « La mandoline ».

↬ Apollinaire, « La colombe poignardée et le jet d'eau » (p. 239).

CHANSON

Née de la tradition des troubadours, la chanson, qui associe texte et musique, est une forme poétique devenue très populaire, comme en témoignent plusieurs exemples. Les romantiques en font une forme poétique à part entière.

↬ *cansons* en occitan, Bernard de Ventadour, p. 12.

↬ « Vive la rose » (p. 69), « Aux marches du palais » (p. 70), « Les Mensonges » (p. 72), « Le temps des cerises » (p. 153).

↬ Ronsard (p. 45), Hugo (p. 94), Nerval (p. 113), Musset (p. 119), Verlaine (p. 176), etc.

CHANSON DE TOILE

La chanson de toile, aussi appelée chanson d'histoire, est un genre poétique du Moyen Âge, ainsi nommé sans doute parce que les femmes chantaient ces chansons en travaillant à leur métier à tisser. Elles exposent une aventure ou une simple situation d'amour dans un cadre champêtre comme dans un petit tableau narratif. Elles sont en vers de huit à dix syllabes assonantes et se composent de quelques strophes de quatre, cinq, six ou huit vers, munies d'un refrain.

🔈 « Le samedi soir finit la semaine », p. 13.

COMPLAINTE

C'est une chanson formée de nombreux couplets, dont le sujet est le plus souvent douloureux, voire tragique, mettant en scène les épreuves d'un personnage souvent réel soumis à l'adversité et à l'infortune. Elle se distingue des autres formes poétiques médiévales par l'insistance des rimes et elle adopte souvent la disposition du lai, en alternant deux mètres sur deux rimes seulement. Genre très populaire au Moyen Âge, la complainte retrouve le succès avec les romantiques, comme toutes les autres formes poétiques médiévales.

🔈 Rutebeuf, p. 21.

🔈 Laforgue, p. 210.

COMPTINE

Ce sont souvent de vieilles chansons populaires « à danser » (des rondes) avec des refrains très simples, qui ont toujours beaucoup de succès auprès des enfants.

🔈 « Dansons la capucine », p. 154.

CONTRERIME

La contrerime est un poème court (trois à cinq strophes de quatre vers qui alternent un octosyllabe et un hexasyllabe). L'alternance des vers lui permet un jeu de rimes assez rare (le premier vers rime avec le dernier, les deux vers intérieurs riment entre eux), qui donne au poème une impression de déséquilibre systématique.

Ce type de poèmes a été baptisé ainsi par Paul-Jean Toulet, qui le rend célèbre avec son recueil.

🔈 *Les Contrerimes*, p. 225.

DIZAIN (ou DIXAIN)

Ainsi que son nom l'indique, c'est une pièce de poésie de dix vers. Comme bien d'autres formes anciennes, le dizain, tombé en désuétude, a été remis à la mode au XIXᵉ siècle.

🕭 Clément Marot, p. 39.

🕭 Maurice Scève compose ses dizains en deux « quintils » selon la structure ababb/ccdcd, p. 41.

🕭 François Coppée, p. 160 ; Charles Cros, p. 162 ; Paul-Jean Toulet, p. 225.

ÉLÉGIE

Forme lyrique héritée de l'Antiquité grecque, c'est un poème qui exprime une plainte douloureuse, des sentiments mélancoliques.

🕭 Alfred de Musset, p. 119 ; Régnier, p. 219.

FABLE

La fable est un récit didactique orienté par une finalité, que l'on appelle « moralité ». L'histoire en elle-même se présente sous la forme d'une courte anecdote, mettant le plus souvent en scène des animaux. C'est le Grec Ésope qui passe pour avoir inventé ce genre au VIᵉ siècle av. J.-C. Ses textes en prose sont mis en vers par le poète latin Phèdre au Iᵉʳ siècle av. J.-C. Dans la littérature française, Jean de La Fontaine est le champion incontesté de la fable en vers. Florian l'imite, tandis que divers auteurs modernes reprennent aussi le genre avec humour.

🕭 La Fontaine, p. 65 ; Florian, p. 75.

🕭 Alphonse Allais, p. 203 ; Alfred Jarry, p. 233.

HAÏKU

Venu du Japon, le haïku est un poème court de 17 syllabes réparties en trois vers composés respectivement de 5, 7, 5 syllabes. Un haïku doit obligatoirement comprendre un mot dit « de saison » (*kigo*), c'est-à-dire un mot qui fait référence à une saison ou à la nature (glace, neige, ciel, arbres, etc.). Cette forme de poésie évoque les émotions, le moment qui passe, l'émerveillement ou la mélancolie.

La spontanéité est importante dans l'écriture d'un haïku : il se compose généralement dans l'instant, sans effort de construction apparent. Les métaphores sont interdites, la description d'un moment de la réalité doit à elle seule provoquer l'émotion à l'aide de mots simples

Le haïku dont l'invention est attribuée à Bashô (voir p. 241) a été popularisé par Shiki (p. 243) : cette forme classique de la poésie japonaise a aujourd'hui un grand succès en Occident.

☙ Haïkus, p. 241.

HOLORIME

Le poème holorime (du grec *holos*, « entier ») est constitué de vers entièrement homophones, où la rime représente la totalité du vers.

☙ Alphonse Allais, p. 203.

LAI

Le lai est une forme fixe de la poésie apparu au XIIe siècle : d'origine celtique, le mot est alors employé au sens de récit chanté ou de mélodie. Le lai narratif est l'ancêtre du fabliau.

Véritable récit romanesque, le lai est surtout représenté par Marie de France. Le sujet des nombreux textes conservés sous son nom est presque toujours emprunté à la matière de Bretagne, comme elle a le soin de le rappeler elle-même.

☙ « Le Lai du Chèvrefeuille », p. 15.

MADRIGAL

En musique, c'est un morceau vocal polyphonique, composé sur un thème profane, qui s'est développé au cours de la Renaissance et au début de la période baroque. En poésie, c'est une courte pièce exprimant une pensée ingénieuse et galante.

    ℞ Ronsard, p. 45.

ODE, ODELETTE

Dans la poésie grecque antique, l'ode est une pièce lyrique destinée à être chantée avec accompagnement musical (odes de Sappho, de Pindare). À la Renaissance, elle connaît un grand succès et se compose de strophes symétriques. L'odelette est une « petite ode » d'un genre gracieux que les romantiques remettent à la mode (voir le recueil de Nerval, *Odelettes*).

    ℞ Ronsard, p. 45.

    ℞ Nerval, p. 113 ; Régnier, p. 219.

PROSE (POÈMES EN)

Née au XIXe siècle, cette forme poétique ne recourt à aucun type de versification. Cependant, elle utilise la prose de manière imagée, en jouant sur le rythme et la musique des mots.

Le poème en prose naît officiellement en 1842 avec la parution de *Gaspard de la nuit* d'Aloysius Bertrand. Il connaît aujourd'hui un essor considérable à travers le monde.

    ℞ Aloysius Bertrand, p. 110.

    ℞ Baudelaire, p. 139.

RONDEAU, RONDEL, TRIOLET

Le mot tiré du latin *rotundus* (« qui a la forme d'une roue ») fait référence à la ronde, du fait de sa structure (deux rimes, trois strophes, reprise des premiers mots de la première strophe comme derniers mots des deux autres).

Lié au chant et à la danse, le rondeau est une de nos plus anciennes formes de poèmes, qui n'a pas varié depuis le Moyen Âge. En musique, le rondeau polyphonique est une forme vocale au départ (à deux, trois, quatre voix), alternant un refrain et plusieurs couplets.

Le rondeau a connu un énorme succès entre le XIVe et le XVIe siècles, puis il a été remis à la mode par les poètes du XIXe siècle.

Le Rondeau ancien ou rondeau - triolet simple est le modèle le plus fréquemment employé : il est fondé sur une structure de huit vers (octosyllabes ou décasyllabes) sur deux rimes, le premier répété après le troisième, et le sixième suivi des deux premiers répétés (A B AA ABA B). On peut le trouver disposé en strophes.

Le rondel comprend trois couplets, dont le deuxième et le troisième se terminent, en guise de refrain, par la répétition du premier ou des deux premiers vers de la pièce : le premier couplet compte toujours quatre vers, le deuxième trois ou quatre, le troisième cinq ou six.

  ↳ Charles d'Orléans, « Le temps a laissé son manteau… », p. 30

  ↳ Jean Froissart, p. 27.

  ↳ Musset, « Rondeau », p. 127 ; Banville, p. 150 ; Corbière, « Rondel », p. 187.

PANTOUM

Forme d'origine malaise, le pantoum a été mis à la mode en France par Victor Hugo (*Les Orientales*, 1829), et les poètes parnassiens comme Leconte de Lisle ont aimé travailler sur cette forme.

C'est une suite de quatrains (octosyllabes ou décasyllabes), dont la structure très circulaire est fondée sur la reprise des vers 2 et 4 de la première strophe aux vers 1 et 3 de la deuxième strophe, puis reprise des vers 2 et 4 de la deuxième strophe aux vers 1 et 3 de la troisième strophe et ainsi de suite, le tout dernier vers du poème reprenant le premier.

  ↳ Baudelaire, « Harmonie du soir », p. 140.

PASTOURELLE

C'est un genre poétique du Moyen Âge, dont le caractère rustique sert de contre-point à l'amour courtois. Il met en scène de jeunes bergères aux prises avec des séducteurs.

↪ Jean de Brienne, p. 19 (pastourelle en vers de sept syllabes, groupés en strophes de six vers).

SONNET

Le sonnet est apparu en Sicile au XIIIe siècle et a été popularisé par les poètes italiens Dante et Pétrarque, qui en fixa les règles dans son recueil *Le Canzoniere* (1374). Introduit en France par les poètes de la Renaissance (Ronsard, Du Bellay), il connaît un immense succès au point de devenir la première forme poétique, et cela dans toute l'Europe.

Le sonnet français est composé de quatorze vers, des alexandrins, disposés en deux quatrains et deux tercets, soumis à des règles fixes pour la disposition des rimes. La structure des quatres rimes la plus habituelle est d'abord la rime dite « marotique » (ABBA ABBA CCD EED), puis on change l'ordre du dernier tercet (EDE).

On trouvera dans notre anthologie de très nombreux exemples de sonnets. Signalons que Baudelaire en utilise toutes les variations.

↪ Corbière (p. 188) donne du sonnet sa recette humoristique.

VILLANELLE

D'origine italienne, la villanelle (du latin *villanus*, « paysan »), est un poème pastoral ; en musique, c'est une ancienne danse rustique accompagnée de chant ainsi qu'une mélodie, un air d'instruments composé sur le modèle de cette danse.

La villanelle devient à la mode en France au XVIe siècle. Elle est le plus souvent constituée de cinq tercets pour un quatrain final, construit en vers de sept syllabes avec seulement deux rimes (a et b) selon la formule suivante : A(1) b A(2) / a b A(1) / a b a(2) / a b A(1) / a b a(2) / a b A(1) A(2), où les vers A(1) et A(2) reviennent en refrains alternés.

☙ Boulmier donne la recette de la villanelle, p. 149.

TABLE DES MATIÈRES

Gérard de Nerval

Alfred de Musset

Théophile Gautier

Charles-Marie Leconte de Lisle

Charles Baudelaire

Le dernier recueil du plus énigmatique des poètes

(Pocket n° 13984)

On a tout dit, tout écrit sur Rimbaud, au point que parfois, on en oublie l'œuvre. Figure emblématique de poète maudit, mythe moderne de la révolte, adolescent génial éternellement jeune, Rimbaud incarne à lui seul toute la modernité poétique. À vingt ans pourtant il écrit son dernier recueil avant de s'évader dans une vie d'aventures. Se sont *Les Illuminations* publiées onze ans plus tard par Verlaine. Poèmes en prose visionnaires, fulgurants, surréalistes, ils continuent toujours d'éblouir tous ceux qui les lisent.

Il y a toujours un Pocket à découvrir

Poétique de l'art

(Pocket n° 13985)

Jadis et naguère est surtout connu pour le poème « L'Art poétique » qui définit et condense la poétique de Verlaine et que l'on considère comme l'un des manifestes du symbolisme. Lorsqu'il entreprend l'écriture de ce recueil, Verlaine a de nouveau sombré et ses poèmes traduisent ses aspirations à la sagesse et l'harmonie. Reposant sur ces deux extrêmes dans une subtile harmonie, sa poésie s'esquisse dans un désordre fécond et un savant déséquilibre des formes.

Il y a toujours un Pocket à découvrir

Un bouquet de "Fleurs maladives"

1,50 €
Texte intégral

Charles
Baudelaire

Les Fleurs du mal

POCKET

Préface de
Jacques Perrin

(Pocket n° 12351)

Baudelaire est LE poète maudit et damné. Étranger dans un monde qui le refuse, il est déchiré entre l'extase et le désespoir, le beau et l'horreur, la vie et l'enfer, Dieu et Satan. La folie marche à ses côtés et il se réfugie alors dans les paradis artificiels pour oublier l'ennui et la mort. C'est dans sa poésie qu'il opère la synthèse parfaite, impossible dans sa vie, et qu'enfin il touche au sublime ; transformant même la pourriture en art.

Il y a toujours un Pocket à découvrir

Incontournable !

(Pocket n° 13981)

Petites comédies pleines d'esprit mettant en scène des animaux, les *Fables* font partie des chefs-d'œuvres du Grand siècle. Avec ses poèmes subtils et enchanteurs, La Fontaine contourne la censure et affirme sa liberté d'esprit en peignant avec brio les travers des hommes de tout temps, des puissants et même du Roi. Sous le couvert de la légèreté et de la farce et en mettant en scène un fabuleux théâtre animalier, La Fontaine s'impose comme un grand humaniste.

Il y a toujours un Pocket à découvrir

Une ode à la liberté
et à l'amour

(Pocket n° 13982)

Petite pièce en un acte, *Le Sicilien*, comédie-ballet fantaisiste et exotique est injustement méconnue. Isidore, une jeune grecque, est affranchie par Don Pedre, Le Sicilien, qui désire l'épouser. Mais son cœur est à un autre, le bel Adraste, gentilhomme français. Avec l'aide de son valet, l'ingénieux Hali, il se fait passer pour un peintre convié à faire le portrait de la belle. Le subterfuge permettra-t-il à la liberté de triompher de la jalousie ?

Il y a toujours un Pocket à découvrir

Faites de nouvelles découvertes sur
www.pocket.fr

Composé par Nord Compo Multimédia
7, rue de Fives, 59650 Villeneuve-d'Ascq

Imprimé en France par

MAURY-IMPRIMEUR
à Malesherbes (Loiret)
en juin 2012

POCKET – 12, avenue d'Italie – 75627 Paris Cedex 13

N° d'impression : 174229
Dépôt légal : juin 2009
Suite du premier tirage : juin 2012
S19227/04